LE PRINCIPE

"Domaine français"

DU MÊME AUTEUR

VARIÉTÉS DE LA MORT, Albiana, 2001 ; Babel n° 1275.

ALEPH ZÉRO, Albiana, 2002 ; Babel n° 1164.

DANS LE SECRET, Actes Sud, 2007 ; Babel n° 1022.

BALCO ATLANTICO, Actes Sud, 2008 ; Babel n° 1138.

UN DIEU UN ANIMAL, Actes Sud, 2009 (prix Landerneau) ; Babel n° 1113.

OÙ J'AI LAISSÉ MON ÂME, Actes Sud, 2010 (grand prix Poncetton de la SGDL, prix roman France Télévisions, prix Initiales, prix Larbaud) ; Babel n° 1247.

LE SERMON SUR LA CHUTE DE ROME, Actes Sud, 2012 (prix Goncourt) ; Babel n° 1191.

© ACTES SUD, 2015
ISBN 978-2-330-04871-6

JÉRÔME FERRARI

Le principe

roman

ACTES SUD

Le maître dont l'oracle est à Delphes ne dit rien,
ne cache rien – mais il fait signe.

HÉRACLITE,
fragment 93.

Et Il m'a dit : Entre la parole et le silence,
il y a un isthme où se trouvent la tombe de la raison
et les tombes des choses.

NIFFARI,
Les Haltes.

positions

Position 1 : Helgoland

Vous aviez vingt-trois ans et c'est là, sur cet îlot désolé où ne pousse aucune fleur, qu'il vous fut donné pour la première fois de regarder par-dessus l'épaule de Dieu. Il n'y eut pas de miracle, bien sûr, ni même, en vérité, rien qui ressemblât de près ou de loin à l'épaule de Dieu, mais pour rendre compte de ce qui s'est passé cette nuit-là, nous n'avons le choix, nul ne le sait mieux que vous, qu'entre une métaphore et le silence. Pour vous, ce fut d'abord le silence, et l'éblouissement d'un vertige plus précieux que le bonheur.

Vous ne pouviez pas dormir.

Vous avez attendu, assis tout en haut d'un piton rocheux, que le soleil se lève sur la mer du Nord.

Et c'est ainsi que je vous imagine aujourd'hui, le cœur battant dans la nuit sur l'île d'Helgoland, si vivant que je pourrais presque vous y rejoindre, vous dont le nom, perdu dans la grisaille d'une interminable bibliographie parmi tant d'autres noms allemands, ne fut d'abord pour moi que celui d'un principe étrange et incompréhensible.

Depuis trois ans, à Munich, à Copenhague, à Göttingen, vous vous débattiez dans des problèmes si effroyablement compliqués que même le jeune homme candide et optimiste que vous étiez alors dut parfois, comme ses camarades d'infortune, maudire le jour où il avait eu l'idée saugrenue de se mêler de physique atomique. Les expérimentations livraient toujours plus de résultats non seulement incompatibles avec les connaissances les mieux assurées de la physique classique mais, de surcroît, scandaleusement contradictoires, des résultats absurdes, et pourtant irréfutables, qui interdisaient de former une image un tant soit peu sensée de ce qui se passait à l'intérieur d'un atome, ou même quelque image que ce fût. Mais sur l'île d'Helgoland, où vous étiez venu, le visage déformé par les allergies, vous protéger du pollen, et peut-être du désespoir, vous avez su que le temps béni des images était à jamais révolu comme doit toujours l'être le temps de l'enfance : vous avez regardé par-dessus l'épaule de Dieu et vous est apparu, à travers la mince surface matérielle des choses, le lieu où se dissout leur matérialité. Dans ce lieu secret, qui n'est pas même un lieu, les contradictions s'abolissent en même temps que les images et leur chair familière ; il n'y demeure aucun vestige du monde que le langage des hommes peut décrire, aucun lointain reflet, mais seulement la forme pâle des mathématiques, silencieuse et redoutable, la pureté des symétries, la splendeur abstraite de la matrice éternelle, toute cette inconcevable beauté qui attendait depuis toujours de se dévoiler à vos yeux.

Sans votre foi en la beauté, peut-être n'auriez-vous pas trouvé la force de mener votre esprit, comme vous l'y meniez sans relâche depuis trois ans, jusqu'aux limites extrêmes où l'exercice de la pensée devient physiquement douloureux, et votre foi était si profonde que ni la guerre, ni l'humiliation de la défaite, ni les soubresauts sanglants des révolutions avortées n'avaient pu l'ébranler. La première fois que vous avez vu votre père en uniforme, alors que vous aviez douze ans, la pointe métallique de son casque dut vous évoquer le panache effrayant des héros achéens et quand il s'est penché, au moment du départ, pour embrasser ses deux garçons, votre frère, Erwin, et vous, Werner, n'avez-vous pas frissonné au souffle épique de l'Histoire qui venait, sous vos yeux, de transformer le professeur August Heisenberg en guerrier? À la gare, les adieux, les chants, les larmes et les fleurs exprimaient quelque chose de plus haut qu'une joie naïve ou brutale, la certitude de partager un destin commun, qui exigeait qu'on prît le risque de lui sacrifier sa vie parce que c'était de lui que toute vie individuelle tirait sa valeur et son sens, la sensation exaltante de n'être plus que la partie charnelle d'un tout spirituel et grandiose et, en regardant partir votre père et vos deux cousins, vous avez peut-être regretté d'être trop jeune pour les accompagner. Mais le premier de vos cousins est mort et quand le second est revenu en permission, vous ne l'avez pas reconnu.

Avez-vous alors deviné ce qu'il en coûte parfois de regarder par-dessus l'épaule de Dieu?

Car Dieu, quoi que désignât cette métaphore, est aussi maître de l'horreur et il y a un vertige de l'horreur, plus puissant, peut-être, que celui de la beauté. C'est le vertige qui saisit les hommes devant les membres tranchés, la puanteur des cadavres fondus dans la glaise, avec les vers agglutinés coulant des blessures comme une pâte vivante et l'œil rouge des rats nichant dans l'ombre des poitrines ouvertes, mais plus encore devant la profondeur des abîmes qu'ils abritaient sans le savoir.

On tend la main vers son fusil dans la nuit des tranchées et l'on y reconnaît un geste archaïque, infiniment plus vieux que l'Histoire, un geste primordial et sauvage dont les obus, les gaz, les tanks, les avions et tous les efforts monstrueux de la modernité n'ont pas altéré l'essence parce que rien ne l'altérera jamais.

On court à perdre haleine, on tombe la tête en avant et on regarde son propre sang couler à flots, on guette avec angoisse l'apparition des traces blanches de cervelle mais il n'y a que du sang, et le lieutenant Jünger se relève et reprend sa course, le cœur débordant d'une ivresse de chasseur, attendant l'extase de ce moment où le visage de l'ennemi surgi de la terre apparaîtra dans sa nudité, quand pourra enfin commencer la lutte, amoureuse et mortelle, qu'on a tant désirée et dont l'un ne se relèvera pas.

Le vertige de l'horreur ressemble parfois à celui de la beauté. On fait partie d'un tout bien plus grand que ce qu'on pouvait imaginer, plus grand que la médiocrité des rêves de confort et de paix, plus grand que les nations en guerre, mais si démesurément grand que la tension dans laquelle il tient les hommes ne peut se maintenir qu'en les brisant. L'exaltation retombe d'un seul coup, et l'ivresse, le voile se déchire, il ne reste plus qu'à courir encore, en hurlant sa terreur de bête, pour fuir la mort hideuse, pour fuir aussi celui qu'on est devenu, à la recherche d'un refuge qui n'existe nulle part, et le lieutenant Jünger regagne en tremblant la tranchée allemande ; les larmes aux yeux, il écrit dans son carnet : mais quand donc finira – quand donc finira cette guerre de merde ?

Peut-être avez-vous vaguement entrevu dans l'hébétude qui rendait votre cousin méconnaissable à son retour du front l'existence de choses qu'il vaut mieux ignorer. L'horreur aussi peut devenir l'objet d'un désir irrésistible comme l'avaient appris ceux qui venaient d'en éprouver le vertige, le lieutenant Jünger et votre cousin, peut-être votre père, même s'il n'en dit jamais rien – mais vous, comment l'auriez-vous appris ?

La guerre était finie.

La vie persistait douloureusement, avec ses angoisses, ses deuils innombrables, ses espoirs et ses rancœurs, mais la beauté redevenait visible et vos yeux savaient la reconnaître, comme la déesse, sous l'infinie diversité de ses formes mortelles, que vous aimiez toutes. La plupart des hommes n'ont pas cette chance indécente, j'espère qu'il vous est parfois arrivé d'en prendre conscience : ils ne sont sensibles qu'à une ou deux formes de beauté, et si aveugles à toutes les autres qu'ils ne peuvent pas même en concevoir la simple possibilité. Pour le professeur Ferdinand von Lindemann, qui avait accepté de vous recevoir à l'université de Munich, les mathématiques possédaient le privilège exclusif de la beauté et quiconque envisageait de les étudier sérieusement, comme vous veniez timidement de lui en exprimer le désir, devait être pénétré de l'évidence de cette vérité éternelle. Il n'est donc guère étonnant que, quand vous lui avez avoué, dans un accès téméraire de franchise, que vous étiez en train de lire un ouvrage de physique, qui plus est affreusement intitulé *Espace-Temps-Matière*, il vous ait lancé un regard dégoûté, comme s'il venait subitement de découvrir sur votre corps les stigmates d'une maladie infâme, avant de vous signifier que vous étiez à jamais perdu pour les mathématiques, tandis que son chien, un roquet qui se cachait sous son bureau et auquel il avait mystérieusement transmis, au cours d'une longue intimité, son sens de l'esthétique, se mettait subitement à aboyer pour témoigner, lui aussi, de l'ampleur de votre ignominie. Aux yeux de Lindemann, les physiciens, fussent-ils des physiciens virtuels de dix-huit ans, ne méritaient aucune considération, non seulement en raison de leur utilisation notoirement désinvolte et avilissante des mathématiques, mais surtout parce qu'ils étaient des êtres dégradés, si corrompus par leur fréquentation assidue du monde sensible qu'ils confessaient sans vergogne leur intérêt pervers pour quelque chose d'aussi méprisable que la matière.

Si le professeur von Lindemann n'avait pas réagi de façon aussi épidermique et avait pris le temps de vous interroger, il aurait dû admettre qu'il venait de se montrer injuste envers vous car, au fond, vous-même n'avez jamais cru en la matière. Dans vos manuels de lycée, la représentation des atomes sous forme de petits corps solides et ronds, attachés les uns aux autres par de complaisants crochets, vous avait immédiatement paru relever de la naïveté ou de l'imposture, dont ni l'une ni l'autre, dans le domaine de la connaissance, ne peuvent être pardonnées. Au moment où Franz Ritter von Epp entrait dans Munich, à la tête des corps francs du Wurtemberg, pour y écraser la République des Conseils de Bavière, vous vous étiez allongé sur un toit, dans la tiédeur du printemps, délaissant les combats pour lire Platon, et vous aviez découvert comment le démiurge crée le monde par la combinaison d'un petit nombre de formes géométriques primordiales. Malgré la répugnance que vous avait d'abord inspirée cette affirmation gratuite qui s'exprimait avec l'autorité arbitraire d'une révélation prophétique, pleine de dédain pour le patient travail de la raison, vous n'aviez pu l'oublier, et vous aviez fini par reconnaître dans les triangles du *Timée*, avec une sorte d'effroi, l'expression métaphorique d'une de vos convictions les plus profondes, que vous n'aviez jamais formulée et dont vous ignoriez même qu'elle était, si profondément, la vôtre : ce qui compose la substance du monde n'est pas matériel.

Votre effroi s'est-il apaisé ou fut-il, au contraire, porté à son comble quand vous avez compris combien cette chose immatérielle vous était familière ? N'était-ce pas dans sa mystérieuse proximité que vous avaient toujours mené la transparence des formes mathématiques, la musique et la poésie, les sommets des Alpes, en plein soleil, émergeant d'un gouffre de brume, et tous les chemins innombrables de la beauté ? C'était une chose immatérielle, mais pourtant si tangible qu'il vous était impossible de douter de sa réalité : elle avait éloigné les spectres de la guerre et ravivé votre joie, tandis que vous écoutiez la chaconne en *ré* mineur de Bach s'élever d'un violon solitaire, dans la cour du château de Prunn ; elle avait illuminé les ruines de Pappenheim sur lesquelles tomba pour vous seul une nuit de l'été 1920 ; et si vous ne l'aviez pas déjà rencontrée, peut-être ne l'auriez-vous pas reconnue, à Helgoland, bien qu'elle fût partout présente, le long des falaises austères, dans la monotonie du ressac, et surtout, plus éclatante que jamais, dans les matrices de la nouvelle mécanique quantique.

De cette présence, on ne peut cependant rien dire, et elle ne peut être nommée.

Celui qui refuse de se résoudre au silence ne peut s'exprimer que par métaphores.

En 1922, à Göttingen, quand Niels Bohr vous a révélé, avec une infinie compassion, que votre vocation de physicien était aussi une vocation de poète, il ne vous a rien appris que vous ne sachiez déjà.

Mais voyez ce qu'il en est : à s'exprimer par métaphores, on se condamne à l'inexactitude et, si l'on se refuse à l'avouer, on prend encore le risque du mensonge. J'ai écrit que sur l'île d'Helgoland, si désolée que n'y pousse aucune fleur, vous, Werner Heisenberg, à l'âge de vingt-trois ans et pour la première fois, avez regardé par-dessus l'épaule de Dieu. Mais je dois maintenant préciser :

Ce n'était pas l'épaule de Dieu.

Et ce n'était pas la première fois.

Position 2 : hors de la demeure,
sur un champ de ruines

Je vous en prie, n'ayez pas honte. Pas vous. Ce n'est pas devant le petit chien du professeur von Lindemann que vous preniez la fuite, en 1920, mais devant le messager, un peu grotesque et répugnant, comme le sont toujours les créatures démoniaques, qu'avait choisi le destin pour vous rappeler brutalement à l'ordre et vous remettre sur le chemin qui était le vôtre, qu'il ne vous appartenait pas de choisir même si vous risquiez d'y perdre votre âme dans un marché de dupes. Au séminaire de physique théorique, chez Arnold Sommerfeld, personne ne vous aboya rageusement dessus, personne ne vous regarda de haut, personne ne chercha à vous humilier. Vous étiez arrivé chez vous, où j'eus moi-même si longtemps honte de vous suivre car c'est à vous que je dois d'avoir connu la pire humiliation de ma vie.

Pour autant que je puisse le savoir, dans l'ordre des choses, il y a d'abord tout ce que l'on doit apprendre. Des traditions, des lois, l'histoire des erreurs et des triomphes. Les travaux de maîtres aimés, les vivants, les morts, ceux qui veulent survivre en vous, ceux qui acceptent que vous les dépassiez. Il faut prendre sa place dans la patiente construction d'un édifice infini, l'œuvre commune des hommes, les vivants et les morts, en espérant peut-être y laisser à son tour quelque chose qui soit digne d'être appris. Il faut acquérir assez de force pour monter au combat quand le feu menace et qu'il faut reconstruire à nouveaux frais, en sauvant ce qui peut l'être.

Mais vous, vous avez commencé par le combat, sur un champ de ruines.

Vous avez commencé par le feu.

Dans le domaine que vous aviez choisi, rien ne pouvait être sauvé. Toutes les tentatives de reconstruction aboutissaient à des échafaudages théoriques bancals et chancelants qui semblaient tout droit sortis des visions mystiques d'un dément et il était pourtant impossible de se raccrocher à un passé réduit en cendres. Depuis que Max Planck avait découvert le quantum universel d'action, cette funeste constante h qui avait, en quelques années, contaminé les équations de la physique avec la célérité maligne d'un virus impossible à éradiquer, la nature semblait prise de folie : des brisures discrètes fissuraient l'antique continuité des flux d'énergie, la lumière grouillait d'étranges entités granuleuses et, dans le même temps, comme si ce n'était pas suffisant, la matière se mettait à rayonner sauvagement dans un halo fantomatique d'interférences. Les frontières qu'on croyait intangibles se brouillaient puis volaient en éclats. Un même phénomène, selon le dispositif expérimental auquel on le soumettait, apparaissait tantôt comme une onde, tantôt comme un corpuscule, alors que rien au monde ne saurait bien entendu être à la fois l'un et l'autre, et plus le temps passait, plus il devenait évident que cette épouvantable dualité ne constituait nullement l'exception mais la règle, une règle à laquelle personne ne comprenait quoi que ce soit. Seule demeurait la certitude désespérante que l'atome n'était pas un système solaire en miniature au sein duquel de sympathiques électrons déroulaient paisiblement leur orbite autour du noyau débonnaire : l'atome transformait en cauchemars tous les rêves, même les plus vénérables, les rêves de Leucippe et de Démocrite, les rêves d'Anaxagore, ceux de Lord Rutherford, il était un concentré de non-sens et d'hérésie, un marécage où s'enlisait la raison et c'est pourtant sur ce marécage qu'il fallait élever une nouvelle demeure, dans laquelle il serait à nouveau possible de vivre.

La transmission sacrée du savoir, si tant est qu'il restât quelque chose à transmettre, avait donc cessé d'être une priorité pour Arnold Sommerfeld. Dans ces circonstances exceptionnelles, les étudiants ne devaient plus être traités uniquement en novices mais considérés, sinon comme des collègues, du moins comme des auxiliaires dont il devenait nécessaire de mobiliser les forces, fussent-elles vacillantes et incertaines, pour affronter la catastrophe. Et c'est ainsi qu'Arnold Sommerfeld vous confia sans plus attendre une masse de résultats expérimentaux, la parole du maître de Delphes, qui ne dit ni ne cache rien, recueillie dans les laboratoires par d'innombrables Pythies, une parole silencieuse, faite de brusques scintillations, de fines gouttelettes illuminant le brouillard, de raies spectrales arrachées au fond secret des choses que vous aviez pour mission d'explorer afin d'y débusquer les régularités mathématiques desquelles jaillirait peut-être le miracle du sens – et c'en serait fini de tout ce chaos mais, en attendant, Sommerfeld vous assurait sans la moindre trace d'ironie que c'était là un exercice aussi amusant que les mots croisés, et il vous renvoyait négligemment, pour combler vos lacunes en physique, à votre condisciple Wolfgang Pauli.

Sans doute l'amitié, si c'est bien d'amitié qu'il s'agit, est-elle aussi une énigme. Pauli était extrêmement brillant. La modestie n'étant pas sa principale qualité, il ne s'abaissait pas à feindre d'ignorer sa propre valeur ni même de supposer, fût-ce par simple courtoisie, que d'autres, à commencer par vous, pouvaient n'en être pas tout à fait dépourvus. Il concédait qu'en ces temps de ruines et de feu, votre totale ignorance de la physique devait être portée à votre crédit, au moins n'auriez-vous pas l'esprit encombré de connaissances devenues inutiles, on ne pouvait donc en toute rigueur exclure l'infime possibilité qu'une idée nouvelle germe miraculeusement sur ce sol inculte, et vous vous demandiez s'il était sincère ou s'il se payait tout bonnement votre tête, car il n'épargnait personne, pas même Sommerfeld dont il comparait insolemment l'allure à celle d'un colonel de hussards en retraite, en se moquant bien de vous épouvanter par son irrévérence. Mais le soir, il retardait autant qu'il le pouvait l'heure du coucher pour ne pas retrouver les rêves qui le hanteraient toute sa vie et qu'il n'avait alors pas commencé à noter pour en livrer le récit à la sagacité du docteur Jung. Il errait toutes les nuits entre sa table de travail et d'inquiétants lieux de perdition où vous ne mettriez jamais les pieds, d'une impasse à l'autre, jusqu'à ce que l'épuisement le ramène, comme nous tous, à ce qu'il voulait fuir, les rêves impitoyables dont aucune étreinte aimante ne sauve jamais.

Dans ces rêves que la lumière grise de l'aube rendait plus terribles encore, il ne croisait jamais sa mère ni les ombres intimes de son enfance.

Sur de hauts tableaux noirs, dans un immense amphithéâtre désert, il regardait avec terreur s'effacer des équations qu'il aurait dû comprendre et dont il savait qu'il ne les reverrait pas, et il avait beau s'efforcer de les graver dans sa mémoire, il ne lui restait que le souvenir confus de signes muets repris par le néant, comme si un dieu pervers ne lui avait livré les secrets de son omniscience que pour le seul plaisir de les lui ravir à jamais.

De la bouche de pierre de sévères pontifes tombaient, dans toutes les langues du monde, des sentences ineptes qu'il ne voulait pas entendre.

De longs cobras dorés ondulaient dans la poussière, sous la lumière vibrante des étoiles, et il regardait les fruits pourrir aux branches de l'arbre de la connaissance.

En début d'après-midi, il vous rejoignait à l'université où vous étiez arrivé au petit matin, tandis qu'il gémissait encore dans son lit. Il vous saluait avec une affection désinvolte, traînant dans son sillage des effluves d'alcool, de tabac, de femmes perdues, toutes ces choses qui n'existaient pour vous que sous leur forme évanescente de parfum. Vous étiez un garçon si totalement, si terriblement sain ! – un boy-scout avide de grand air et de franche camaraderie, plein d'enthousiasme et de naïveté au point de vous imaginer que vous œuvriez, avec vos amis du mouvement de jeunesse, à l'avènement d'un monde meilleur, comme si les randonnées, la bonne humeur d'une ascèse virile autour des feux de camp et une impeccable hygiène de vie pouvaient suffire à racheter le monde. Vous aimiez aussi tout ce qui m'est étranger, tout ce que je ne comprends pas, et cela aurait dû me suffire pour vous détester, même si le jeune homme dans lequel je dois bien accepter de me reconnaître ignore encore, en cette journée de juin 1989, l'ampleur de l'humiliation qu'il va bientôt subir à cause de vous, alors qu'il attend qu'on l'appelle pour passer son dernier examen oral de fin d'année.

Je viens d'apprendre que j'aurai à commenter un passage de *Physique et philosophie*, que je n'ai bien sûr pas lu, trop occupé que j'étais à prolonger indéfiniment ma crise d'adolescence en abusant de *coldwave* anglaise et d'encens. Devant moi, il y a votre livre, dont l'illustration de couverture, d'une laideur si radicale qu'elle ne peut qu'avoir été préméditée, représente un abominable polygone orangé sur fond noir, comme si les éditeurs, craignant que la mécanique quantique ne soit pas suffisamment rebutante en elle-même, avaient voulu décourager par tous les moyens, y compris les plus déloyaux, d'hypothétiques acheteurs – à moins qu'ils n'aient considéré la laideur comme une indiscutable garantie de sérieux scientifique. J'entends le candidat qui me précède bafouiller laborieusement, je vois son dos tremblant, sa nuque courbée et, en face de lui, la jeune maître de conférences qui l'écoute avec un sourire un peu crispé, en pianotant machinalement du bout des doigts sur la table. Je la trouve belle, je regrette de ne pas avoir mis les pieds de toute l'année dans le cours qu'elle vous a consacré, mais je ne pense pas à vous, je me laisse probablement aller à la niaiserie de vagues pensées érotiques et je n'ai pas peur. J'ai appris à commenter des textes que je n'ai pas lus et que je ne comprends pas, c'est même au bout du compte la seule compétence indiscutable que j'aie acquise au terme de quatre années d'études. Quelques articles de vulgarisation, une impeccable parure méthodologique et une arrogance éhontée m'ont jusqu'ici permis de dissimuler mon indigence avec succès. Je sais donc qu'on vous doit le principe d'incertitude, qui stipule, semble-t-il, qu'on ne peut pas connaître en même temps la position et la vitesse d'une particule élémentaire, je sais aussi que, dans la controverse qui a longuement opposé les physiciens des années vingt pour des raisons qui m'échappent aussi parfaitement qu'elles m'indiffèrent, vous étiez, avec Niels Bohr et Wolfgang Pauli, un adversaire d'Einstein, de Schrödinger et du prince de Broglie – et ce maigre bagage me paraît tout à fait suffisant pour affronter la jeune maître de conférences qui me fait maintenant signe de la rejoindre. J'avance avec l'inébranlable satisfaction de l'ignorance car, au fond, je ne sais rien, je ne vous connais pas, je ne veux pas vous rejoindre sur un îlot désolé, vous n'êtes encore pour moi qu'un nom allemand de plus dans une interminable liste de noms allemands, je ne connais rien des angoisses et des ivresses de la vie de l'esprit, je débite soigneusement les textes comme des pièces de boucherie, en parties et sous-parties, jusqu'à ce qu'il n'en reste plus rien de vivant, je ne connais pas vos inoubliables moments de grâce, face à la mer du Nord, et je ne sais pas que les moments de grâce inoubliables ne résolvent pas tout.

À peine entrevue, la lumière disparaît.

Pourtant, quand vous aviez soumis à Pauli les résultats de vos calculs d'Helgoland, il ne les avait pas accueillis comme les élucubrations d'un simple d'esprit et avait même consenti à les juger *"intéressants"*, ce qui, venant de quelqu'un qui qualifiait les propos d'Einstein de *"pas tout à fait idiots"* devait s'interpréter comme une extraordinaire manifestation d'enthousiasme. Vous veniez de faire, vous en étiez convaincu, un pas décisif sur le seul chemin qui s'ouvrait encore, le seul qui menât vers la sortie de l'épouvantable labyrinthe où vous erriez tous si tristement depuis tant d'années. Il suffisait de renoncer aux questions insolubles, celles qui portaient sur une réalité physique que personne ne pouvait observer ni concevoir, il fallait oublier toutes ces histoires d'ondes et de corpuscules, d'orbites et de trajectoires, se libérer douloureusement de la nostalgie des images pour bondir d'un seul coup, par-dessus l'abîme, dans le refuge des formes mathématiques, car c'est là que, depuis toujours, la raison a sa demeure – et c'était à nouveau la nuit d'été dans la cour du château de Prunn quand s'élevaient d'un violon solitaire les notes de la chaconne qui vous arrachaient à votre douleur en révélant que le monde n'était pas seulement le chaos qu'il semblait être, ce grand corps disloqué, avec ses morts inutiles, ses âmes désorientées, ses vains espoirs, ses ruines, la rancœur et la colère inextinguibles, l'humiliation des diktats, et qu'il était encore possible d'avoir foi en ce que vous n'appeliez pas Dieu mais un ordre central, au sein duquel toute chose prenait sa place. Oui, vous aviez trouvé la bonne voie, la seule, c'était une certitude, et sans doute, pour un moment, vous n'avez pas douté que vous en convaincriez la communauté des physiciens.

Mais, bien sûr, rien ne s'est passé comme vous le désiriez.

Einstein, à qui vous expliquiez les bizarreries de votre mécanique matricielle, vous accusa, non sans quelque raison, d'entraîner la physique sur un terrain dangereux en abandonnant l'idéal qui avait toujours été le sien, la description objective de la nature. Puis, un peu plus tard en cette même année 1926, Erwin Schrödinger émit une hypothèse qui exprimait un espoir déraisonnable et dut vous apparaître comme une épouvantable régression : il s'agissait de considérer que les électrons n'avaient jamais été des particules mais des ondes, des ondes toutes bêtes, qui se donnaient parfois de faux airs de particules. À l'appui de ses dires, Schrödinger proposait, pour décrire l'évolution de ces ondes de matière, une magnifique équation différentielle qui rendait compte des résultats expérimentaux tout aussi bien que vos sévères matrices mais d'une manière infiniment plus simple et familière, soulevant l'enthousiasme d'une communauté scientifique ravie de revoir enfin, après des années d'errance dans la tourmente quantique, les rivages du paradis qu'un dieu jaloux lui avait ravi. Le professeur que vous admiriez tant, Arnold Sommerfeld, semblait lui aussi prêt à succomber aux chants maléfiques des sirènes ondulatoires et vous aviez beau objecter que la théorie de Schrödinger, pour séduisante qu'elle fût, contredisait des faits avérés, personne ne vous écoutait, tout serait très vite résolu, c'était une évidence, on vous soupçonnait même ouvertement de nourrir de très vilaines rancœurs, vous vous focalisiez sur des détails sans importance par pure jalousie, dépité de devoir renoncer à vos divagations quantiques. Nul n'est à l'abri des passions mesquines et il est très possible que vous ayez été effectivement blessé dans votre amour-propre, mais ce qui vous motivait avant tout était la conviction qu'il fallait renoncer pour toujours aux représentations intuitives des phénomènes atomiques, si douloureux que ce fût : Schrödinger et tous les autres se trompaient, ils étreignaient les vaines chimères que le désir et la nostalgie leur rendaient irrésistibles, rien de plus, mais, sans le savoir, ils erraient encore dans le labyrinthe plein de monstres, aux confins d'une terre sauvage, une terre hostile qu'il leur faudrait apprivoiser car elle ne les laisserait pas s'échapper, et jamais ils ne retrouveraient le paradis perdu.

Position 3 : dans la chambre à brouillard

Les données du problème sont simples et désespérantes : dans une chambre de Wilson, on peut visualiser la trajectoire des électrons sous forme de gouttelettes condensées dans le brouillard ; mais quel que soit le cadre théorique choisi, le vôtre ou celui de Schrödinger, il est impossible de supposer que les électrons suivent effectivement une trajectoire sans tomber dans de redoutables contradictions.

On voit donc quelque chose dont l'existence est patente et qui ne devrait cependant pas exister.

Tous les autres se trompaient, cela, vous le saviez, Niels Bohr et Wolfgang Pauli le savaient aussi, mais l'impitoyable chambre à brouillard vous privait du luxe de croire que vous aviez tout résolu et que vous n'étiez qu'un malheureux génie incompris. Oh non, les moments de grâce inoubliables ne résolvent pas tout, et chaque avancée engendre une nouvelle déception, plus cruelle que les précédentes. À une théorie incomplète, vous n'aviez rien à opposer qu'une autre théorie, tout aussi incomplète. Vous ne pouviez que dénoncer des erreurs que vous n'aviez pas les moyens de corriger en rejoignant Niels Bohr à Copenhague où il avait invité Schrödinger pour lui faire comprendre que, malgré le progrès mathématique considérable que représentait sa fonction d'onde, rien n'était réglé au niveau de la réalité physique, et il passa effectivement des journées entières à essayer en vain de le lui faire comprendre, sans lui laisser une seconde de répit. Il avait installé Schrödinger chez lui pour s'assurer qu'il ne pourrait pas lui échapper et le torturer à loisir et il guettait le malheureux dès le matin, au seuil de sa chambre, pour lui faire part des objections qu'il avait conçues dans la nuit, le poussant dans ses derniers retranchements avec une obstination furieuse de fanatique jusqu'à la table du petit-déjeuner, continuant à lui affirmer d'une voix suppliante à travers la porte de la salle de bains que l'électron, bien qu'il manifestât des comportements ondulatoires, ne pouvait en aucun cas être considéré seulement comme une onde, implorant Schrödinger de l'accepter enfin, et il le poursuivait toute la journée du salon au bureau, il l'aurait poursuivi jusque dans ses rêves, si bien que Schrödinger, après avoir regretté amèrement, comme il semble décidément que ce fût la règle de l'époque, d'avoir un jour pris la stupide décision d'étudier la physique, n'eut plus d'autre ressource que de tomber malade pour échapper à son bourreau, ce qui ne servit pas à grand chose, car Niels Bohr se mit à faire le siège de son lit de souffrances, l'empoignant par les revers de sa veste de pyjama pour l'arracher à sa douce somnolence d'agonisant avec une opiniâtreté si inflexible qu'il dut lui rendre la perspective de la mort délectable. Et quand Schrödinger parvint à s'enfuir de sa geôle danoise, c'est vous que Bohr entreprit de torturer systématiquement. Il vous posait des questions incessantes en tournant autour de vous comme un oiseau de proie, dans une écœurante brume de tabac, il tordait les problèmes dans tous les sens, avec des grimaces de possédé, jusqu'à ce qu'ils deviennent totalement incompréhensibles, il vous exaspérait, il vous empêchait de dormir, il vous empêchait de penser, vous ne pouviez plus le supporter, vous éclatiez en sanglots à trois heures du matin en le suppliant de vous laisser tranquille, et vous avez accueilli sa décision de partir faire du ski en Norvège comme une libération inespérée : il n'est pas exclu que vous ayez furtivement souhaité qu'il se casse une jambe, voire les deux, en vous reprochant aussitôt la dureté de votre cœur car vous l'aimiez comme un père. Mais il faut bien s'éloigner de son père pour se retrouver seul et désemparé, devant la chambre à brouillard de Wilson, avec des yeux d'orphelin fixés sur la trajectoire qui ne devrait pas exister.

C'est là que vous reveniez sans cesse, il était impossible de fuir, le goût indigeste de la réalité vous donnait la nausée et même la pensée que, de ce point de vue, Schrödinger, avec ses ondes stupides, n'était pas plus capable que vous ne l'étiez d'expliquer un phénomène aussi simple ne vous apportait aucune consolation.

Mais Dieu qui, en l'absence de Bohr, se souvenait de sa miséricorde, vous a laissé une nouvelle fois regarder par-dessus son épaule. Et vous avez compris.

Dans la chambre à brouillard, on n'observait pas, et on n'avait en vérité jamais observé, la trajectoire d'un électron. On y voyait seulement les traces ponctuelles des gouttes de condensation, rien de plus, et c'est l'esprit humain qui, victime d'une routine plusieurs fois millénaire, reliait ces traces entre elles en une illusion de trajectoire continue, comme les enfants relient soigneusement les points numérotés dans leurs cahiers de dessin pour y faire apparaître des sorcières, des dragons et des chimères.

Il vous fallait encore apprendre à voir au-delà des évidences, vous dépouiller de toutes les habitudes qui vous retenaient prisonnier : quelque part, perdu dans l'immensité cosmique de la gouttelette, se trouvait l'électron. Il était impossible de dire où il se situait exactement. Un peu plus loin, il signalait à nouveau sa position approximative mais il n'était au fond même pas permis de penser que c'était le même objet qui laissait dans le brouillard les traces de son passage. Il n'y avait qu'une suite d'événements singuliers, l'éclair d'existences furtives illuminant la nuit avant de s'éteindre. Et c'était tout. Vous aviez vu. Il ne restait plus rien à voir. Pas de permanence. Pas de continuité. Aucune trajectoire – mais une armée de spectres exsangues qui traversaient la chambre de Wilson à une vitesse indéterminée, en s'incarnant vaguement pour imprimer dans la brume l'empreinte de leurs contours flous.

Et tel est le principe.

Mais moi, des décennies plus tard, je ne parviens qu'à répéter : d'après le principe d'incertitude de Heisenberg, en physique quantique, on ne peut pas connaître en même temps la position et la vitesse d'une particule élémentaire et je sais que tout se passe très mal, la jeune maître de conférences ne sourit plus du tout, le bout de ses longs doigts frappe la table au rythme effréné de son exaspération, les rides fines au coin de ses paupières me replongent, au moment le moins opportun, dans des images érotiques dont la terreur que je commence à ressentir ne parvient pas à m'extraire. Elle soupire et se passe lentement les mains sur le visage. Je ne trouve rien de mieux à faire que de remarquer qu'elle ne porte pas d'alliance alors que je suis d'ores et déjà foutu, j'en aurais eu la certitude même si sa colère ne m'apprenait pas que, selon toute vraisemblance, je suis en train de lui raconter n'importe quoi, car vos éditeurs ont poussé le raffinement jusqu'à saboter la confection de votre livre afin qu'il soit non seulement hideux mais impossible à manipuler, comme je viens d'en faire l'expérience ; lors de ma courte explication de texte, la reliure s'est fendue dans un petit bruit sec, les pages se sont bravement échappées et répandues sur le bureau, apportant la preuve irréfutable que l'ouvrage dont elles viennent de se désolidariser n'a pas été ouvert avant aujourd'hui. Elle me fait signe de me taire, elle est fatiguée que je la gratifie de ma petite cuisine mesquine, une toute petite cuisine bien abjecte, dont je maîtrise à fond les recettes méprisables, elle veut bien le reconnaître, car ce que je dis n'est pas même mauvais, pas même faux, non, c'est juste la petite soupe positiviste insipide qu'on lui a servie tant de fois qu'elle en a la nausée, je transforme en un vague précepte de limitation de la connaissance ce qui est en réalité une terrible sentence de dissolution et elle continue de m'accabler, elle ne s'arrêtera pas jusqu'à ce que je me sois moi-même dissous dans l'aveuglante clarté d'un brouillard lumineux. J'aimerais être chez moi, dans ma chambre, allongé près de la fille qui vient m'y rejoindre après que j'ai envoyé ma mère se promener ou faire des courses, en lui faisant promettre de ne pas rentrer trop tôt, ce qu'elle accepte à chaque fois, tout heureuse de demeurer dans l'ombre l'organisatrice de ma vie sexuelle, avec un sourire amusé et complice qui me fait honte, j'ai honte, j'ai mal au ventre, j'aimerais être à nouveau loin de vous, comme je l'ai toujours été.

Je suis si loin de vous.

Je ne vous connais pas, je ne connais pas la Bavière, les sommets des Alpes sous le soleil d'hiver ni le château du prince de Danemark, au bord de la mer grise, la nature me fait peur, elle me dégoûte, et quand j'écoute la partita pour violon seul, je n'entends s'élever l'appel d'aucun ordre central mais seulement les accents d'un chagrin que rien ne saurait consoler, comme si la vie pleurait, de toutes ses forces inutiles et profondes, sur sa propre fragilité. Je suis loin de vos combats, de votre épuisement, loin de vos sanglots que Niels Bohr, dès son retour de Norvège, fait à nouveau jaillir dans la nuit avec ses questions, ses objections cruelles, cette intransigeance sadique dans la volonté de comprendre le principe que vous venez de découvrir, refusant de vous accorder le repos avant que vous ne l'ayez vous-même compris pleinement et formulé dans le langage des hommes.

Je suis loin de vos insomnies, de vos accès de haine et de la sincérité de vos remords, lorsque vous écrivez à Niels Bohr pour lui demander de vous pardonner votre intransigeance puérile, la faiblesse de vos nerfs à vif et surtout votre ingratitude, car vous l'aimez comme un père qui, depuis votre première rencontre à Göttingen, n'a cessé de vous apprendre, plus encore, de vous montrer ce que c'est que penser et, sans lui, vous n'auriez jamais su que la pensée n'a rien à voir avec les calculs, la logique ou les mots croisés, mais qu'elle est en vérité un sortilège de vitesse et de puissance, et de cruauté, de douleur et d'extase, la plaie ouverte qu'on s'acharne à creuser.

J'ai du mal à comprendre ce que signifie penser, j'ai du mal à comprendre ne serait-ce que le langage des hommes au-delà duquel s'étend le principe mais puisque c'est dans le langage des hommes qu'il faut l'exprimer, nous le ferons ainsi : la vitesse et la position d'une particule élémentaire sont liées de telle sorte que toute précision dans la mesure de l'une entraîne une indétermination, proportionnelle et parfaitement quantifiable, dans la mesure de l'autre.

Si nous choisissons de déterminer exactement la position, notre ignorance de la vitesse devient littéralement infinie – ce qui ne signifie pas que cette vitesse existe et que nous ne la connaissons pas mais plutôt que le concept de vitesse est alors dépourvu de sens précis.

Si nous déterminons la vitesse, c'est la position qui devient floue, comme si l'électron s'étalait dans l'espace pour l'emplir tout entier, jusque dans ses moindres recoins.

La vitesse et la position sont donc de pures virtualités qui n'acquièrent plus ou moins de réalité objective qu'au moment de la mesure, et jamais ensemble.

Mais ce que le langage des hommes exprime si maladroitement se laisse saisir d'un seul coup dans une équation d'une concision et d'une simplicité telles qu'elles en masquent la toxicité. Car bien avant de prendre la forme des inégalités mathématiques auxquelles il doit son incomparable beauté, le principe consista d'abord dans votre conviction que nous n'atteindrons jamais le fond des choses, non en vertu d'une malédiction ou de la faiblesse de nos facultés, mais pour la raison définitive et radicale que, juste avant de me congédier, la jeune maître de conférences, tendue vers moi par-dessus la table qui me protège de sa fureur et de son indignation, me révèle maintenant : – parce que les choses n'ont pas de fond.

Position 4 : entre le possible et le réel

Dans les listes bibliographiques comme sur les monuments aux morts, les noms finissent par se transformer en mensonges qui dissimulent ce qu'ils devraient désigner. Ils n'ont pas d'âge, pas de visage, et je n'avais pas mesuré combien vous étiez jeune avant de voir cette photo, prise en 1920, peut-être au moment où vous rejoigniez le séminaire de Sommerfeld. Vous semblez à peine sortir de l'enfance et vous avez, c'est vrai, l'allure d'un boy-scout, mais le sourire candide qui éclaire votre visage témoigne d'une confiance dans la vie si admirable qu'il me fait à chaque fois oublier tout ce qui m'éloigne de vous. C'est une confiance spontanée, totale, sans arrogance ni forfanterie, qu'il est impossible de tourner en dérision, et elle semble devoir préserver à jamais cette jeunesse que l'on retrouve intacte, dix ans plus tard, à l'université de Leipzig, alors que seul le brassard noir que vous portez pour la mort de votre père vous distingue de vos étudiants, ou

à Bruxelles, sur la photo de groupe de la conférence Solvay 1927. Vous n'êtes pas au premier
rang où se tiennent assis Albert Einstein, Marie
Curie et Max Planck mais, plus modestement,
debout au dernier, un peu guindé et confus, aux
côtés de Pauli qui semble regarder Schrödinger
de travers. Et c'est pourtant votre principe qui
est au centre de tous les débats : chaque matin,
Einstein présente à la table du petit-déjeuner
l'expérience qu'il a imaginée pendant la nuit
pour le réfuter et qui doit prouver la possibilité,
au moins théorique, de déterminer exactement
la vitesse et la position d'une particule ; chaque
soir, après une longue journée de réflexion au
cours de laquelle il a, comme à son habitude,
retourné le problème dans tous les sens jusqu'à
l'épuisement complet de ses interlocuteurs,
Niels Bohr expose la faille qu'il a découverte
dans le raisonnement d'Einstein et sauve le
principe jusqu'au lendemain matin. Car Einstein, soutenu par Schrödinger et Louis de Broglie, n'abandonne pas.

Il n'abandonnera jamais.

Cela n'a rien à voir avec un désaccord technique ou un problème de formalisme mathématique. Paul Dirac, qui est encore plus jeune
que vous, a démontré que votre mécanique
matricielle est mathématiquement équivalente
à la mécanique ondulatoire de Schrödinger, et
qu'elles expriment donc exactement la même
chose, comme s'il s'agissait des traductions,

dans deux langues différentes, d'un texte unique et mystérieux – la parole du maître de Delphes, qui ne dit ni ne cache rien, dont les mathématiques sont elles aussi une subtile métaphore. Vous avez commencé par le combat, vous avez commencé par le feu, et moi, en cet été 1989 passé au bord de la mer, dans la maison de mon père où j'abrite les lambeaux sanglants de mon amour-propre en essayant tant bien que mal de comprendre ce qui m'a valu la pire humiliation de ma vie, je découvre qu'au lieu d'éteindre ce feu, vous l'avez propagé comme un sauvage, jusqu'à ce qu'il devienne un immense incendie, ravageant joyeusement le Saint des Saints, consumant dans ses flammes dévorantes tous les idéaux sacrés de la science, exactement comme vous l'a annoncé Einstein, à Berlin, en 1926.

Fallait-il que vous fussiez jeune, de la jeunesse des conquérants et des assassins.

Vous écrivez à votre ami Carl Friedrich von Weizsäcker que vous venez de réfuter la loi de causalité, vous n'en revenez pas, et il y a, dans l'énormité de cette confidence faite à un garçon de quinze ans qui vous admire et rêve de suivre vos traces, un mélange d'effroi sacrilège, de désinvolture et de fierté. Vous avez raison d'être effrayé, vous avez fait bien davantage que réfuter la causalité, vous avez prononcé, avec la candeur meurtrière de la jeunesse, une sentence de dissolution qui transforme les composants ultimes de la matière en créatures des limbes, plus pâles et transparentes que des fantômes – de pauvres choses sans qualités, si dépouillées de tout qu'elles en deviennent indicibles, à peine des promesses de choses, perdues quelque part entre le possible et le réel, attendant que le regard des hommes se tourne vers elles et les appelle à l'existence. Car le regard des physiciens n'est plus qu'un regard d'hommes, instillant à tout ce qu'il effleure le venin de la subjectivité. Il ne sera jamais celui de Dieu. On ne dévoilera pas les plans du vieux, à peine peut-on espérer jeter furtivement un œil par-dessus son épaule, et c'est ce qu'Einstein ne peut supporter. Ni lui, ni Schrödinger, ni de Broglie n'acceptent de renoncer à l'espoir, déraisonnable et magnifique, qui fut la raison d'être d'une quête menée depuis si longtemps, de parvenir un jour à la description objective du fond secret des choses, et ils n'acceptent pas qu'à cause de vous, cet espoir soit aboli, et ne puisse pas même subsister à titre d'idéal, parce que les choses n'ont pas de fond, et que le principe instaure entre elles et nous une limite infranchissable, un isthme au-delà duquel s'étend le néant ineffable.

C'était un combat honorable, un combat nécessaire et, même si l'avenir n'a cessé de vous donner raison, longtemps après votre mort à tous, j'ai souvent envie de vous reprocher d'avoir considéré dès le début, avec la désinvolture et l'arrogance naïve de la jeunesse, que c'était un combat perdu – mais je ne le fais pas, et je regrette de vous avoir cru désinvolte, vous ne l'étiez pas, pas plus que vous n'étiez naïf, au contraire, vous étiez si peu naïf qu'il vous était impossible de croire que toute la réalité du monde se laisserait un jour apprivoiser par les concepts familiers du langage des hommes, vous saviez qu'il faudrait en venir à la cruelle nécessité d'exprimer, comme le font les poètes, ce qui ne peut l'être et devrait être tu. Vous le saviez, vous l'aviez, au fond, toujours su, bien avant que Niels Bohr ne vous le rappelle à Göttingen, en cette merveilleuse après-midi de 1922 tout au long de laquelle vous vous promenez pour la première fois à ses côtés, sous un ciel de printemps limpide, émerveillé qu'il se livre ainsi à vous, malgré votre jeunesse insignifiante, comme si la réminiscence d'une intimité bien plus ancienne que votre rencontre vous liait déjà à lui. Vous le suivez, en l'écoutant avec passion, sur les hauteurs de la ville et bien au-delà, jusque dans ce lieu dont vous pressentiez depuis longtemps l'existence, qui n'est pas même un lieu et qu'on ne peut évoquer, comme s'y emploie Niels Bohr avec une rigueur inquiète, fébrile, presque maladive, que dans un tourbillon de métaphores, en alternant les images partielles, inexactes, sans craindre la contradiction car ici, dit-il, le contraire d'une vérité profonde est une autre vérité profonde. Ici, dit-il encore, nul ne saurait être à la fois clair et précis – et je comprends comment je me suis laissé abuser par la clarté trompeuse de vos textes, en me fiant bêtement à des exemples simples que vous ne donnez que pour en restreindre la pertinence et la validité. Vous n'affirmez rien que vous ne veniez finalement contester, dans un incessant mouvement fait de sauts, de replis, de perspectives soudain renversées, il est épuisant de vous suivre dans ces circonvolutions qui tordent le langage dans tous les sens avec un sérieux d'autant plus empreint de pieuse compassion que vous savez mener une tâche impossible – faire dire aux mots ce qui ne peut être dit mais doit cependant l'être. Je vous ai longtemps soupçonné d'indécision chronique, vous qui avez baptisé puis débaptisé le principe avec une inconséquence exaspérante, comme pour ajouter à la confusion, hésitant entre *"incertitude"*, *"indétermination"* et ce terme allemand, bien évidemment impossible à traduire, qui signifie l'absence de netteté, la pauvreté de détails d'une photo médiocre, dont on ne saurait si elle est ratée à cause d'un défaut de mise au point ou parce qu'elle prétendait figer les tremblements fugaces d'un objet sans contours, n'existant qu'à peine, – mais j'avais encore tort ; les hommes ont perdu depuis longtemps, à cause de leur péché, le privilège de lire à la surface des choses leur nom véritable, qui demeure désormais caché, et peut-être vous était-il impossible de choisir un nom unique.

Peut-être aviez-vous besoin de tous ces noms successifs et contradictoires afin qu'ils deviennent véritables tous ensemble, dans la dissonance de leur mystérieuse communion.

Oh, ce sont là des choses bien difficiles à comprendre, surtout quand on n'a rien fait d'autre que d'écouter de la *coldwave* et d'envoyer aussi souvent que possible une mère trop complaisante faire des courses pour se retrouver enfin seul avec la jeune fille dont le souvenir m'empêche de travailler et m'éloigne encore de vous, chez mon père, pendant l'été 1989, parce que je la revois s'avancer vers moi, inaccessible et nue, comme si elle venait de très loin, malgré l'exiguïté de ma chambre, je la regarde s'avancer, sa marche est interminable car, grâce à Dieu, la position n'est pas bien déterminée et je la regarde encore alors que je me blottis déjà dans ses bras, elle marche sans me voir, comme si je n'existais pas, comme si elle ne venait pas vers moi mais descendait se baigner nue, sous les étoiles de la nuit d'août, dans la fraîcheur d'une rivière inconnue, tandis que je l'observe, non pas depuis un matelas d'adolescent posé sur le sol, mais caché, le cœur battant, derrière de lourds branchages parfumés ondulant sous la brise et, quand je me blottis contre elle, la regardant encore marcher sans fin, je sais que je n'oublierais jamais ce moment où l'existence de l'esprit devient plus tangible, plus incontestable que celle de la chair, dans la transparence de la chair même. Combien je devrais me sentir plus proche de Schrödinger que de vous, qui brûlez d'une fièvre abstraite ; Schrödinger aimait les femmes, il les aimait au point d'édifier sur les fondements de cet amour inlassable toute une vision du monde car il pressentait, pour l'avoir expérimenté si souvent, que la chair aussi est une onde vibrante.

Mais vous, qu'en saviez-vous, avec vos amours malheureuses, vos pauvres amours spectrales si longtemps condamnées à hanter les brumes tendues entre le possible et le réel ?

Vous suivez les traces fragiles d'Adelheid von Weizsäcker qui glisse comme un fantôme dans les rues de Berlin et vous savez qu'elle vient d'y passer, vous échappant encore, parce que tout ce qu'a illuminé la jeune fille est redevenu terne et gris. Vous l'avez effrayée, elle et toute sa famille, à commencer par votre ami Carl Friedrich, avec l'intransigeance mystique de votre passion, cette fièvre abstraite qui vous consume et vous exile. Vous en demandez trop, votre exigence est démesurée, vous voudriez que chaque déclaration d'amour soit une épiphanie qui transforme le monde de fond en comble, comme pendant la nuit de Pappenheim, et fasse s'ouvrir un nouveau chemin vers la beauté invisible de l'ordre central mais personne ne vous comprend.

Vous écrivez à votre mère que le destin vous refuse le bonheur.

Tout vous échappe.

Ne vous est laissée que la triste jouissance de choses impalpables, le souvenir d'une main effleurée, la promesse d'un voyage qui n'eut pas lieu, le froissement imperceptible d'étoffes lointaines, l'odeur des fleurs fanées et toutes les rues grises de tant de villes qu'Adelheid n'illumina pas de sa présence. La fièvre abstraite qui est la vôtre se répand, elle envahit tout. La sentence de dissolution que vous avez prononcée s'abat sur votre propre vie. Le lieutenant en retraite Ernst Jünger écrit que l'atome s'est dématérialisé jusqu'à se transformer en une pure forme, et c'est ainsi que la jeune fille que vous avez aimée vous échappe, non pas en fuyant mais en s'évaporant sous vos yeux, devenant sans cesse plus diaphane et maintenant, alors qu'elle continue à vivre loin de vous et que vous n'apparaissez nulle part dans ses rêves de bonheur, il vous reste d'elle une enveloppe translucide et pâle qu'elle vous a léguée sans le savoir, une idée de jeune fille, que personne ne prendra dans ses bras et qui vous sourit tristement dans votre immense solitude.

Vous parliez à votre mère de la musique lointaine des choses essentielles, vous vous plaigniez que votre vie ressemblât à un chemin poussiéreux, tracé dans la laideur d'une contrée aride et, sans votre travail, votre immense solitude eût été absolue. Mais elle ne l'était pas. Il vous fallait participer à des débats gigantesques, inépuisables, qui vous permettaient d'échapper à la fois à votre mélancolie et à tout ce qui vous dégoûtait dans la vie publique, que vous ne preniez pas au sérieux parce qu'il vous était impossible de croire que les forces de la bêtise fussent infiniment supérieures à celles de la raison. Si vous étiez naïf, c'était peut-être de rêver que le monde de la politique devrait en fin de compte obéir aux mêmes règles aristocratiques que le monde de la science dans lequel les luttes les plus acharnées n'admettaient pas d'autres armes que les arguments et constituaient encore des témoignages de respect et d'amitié. Vous pensiez qu'une cause qui n'est défendue que par la violence, le mensonge et la calomnie fait ainsi l'aveu de sa propre faiblesse, et vous aviez raison – mais vous n'imaginiez pas le pouvoir de la faiblesse, de l'humiliation, du ressentiment et des peurs abjectes. Quelque chose de raffiné et de pourri viciait l'air que vous respiriez mais vous ne le sentiez pas ; vous conversiez fraternellement avec des hommes de toutes nationalités qui se faisaient de ce qui est essentiel la même idée que vous, vous passiez d'un pays à l'autre, d'une université à l'autre, en Italie, en Angleterre, aux États-Unis, comme si la vaste Athènes contemporaine dans laquelle vous viviez avait effacé les frontières, vous bondissiez joyeusement sur le pilier d'angle d'une terrasse, au Japon, et Dirac, terrorisé à l'idée que vous alliez basculer dans le vide d'un instant à l'autre, vous regardait vous y tenir debout, en équilibre, les mains nonchalamment enfoncées dans les poches de votre pantalon, impassible et joyeux, devant le grand ciel clair.

Ce chemin-là n'est ni terne, ni gris. Il n'a encore aucune des couleurs du désenchantement. Il mène jusqu'à Stockholm où vous vous rendez avec Dirac et Schrödinger qui se partagent le prix Nobel de physique 1933 ; on vous l'a décerné, avec un an de retard, pour l'année 1932. Un an trop tard. À quoi pensez-vous, cravaté de blanc dans votre costume de cérémonie, au moment où le président de l'Académie royale des sciences commence son discours solennel ?

Votre Majesté, Votre Altesse royale, mesdames et messieurs...

Est-ce à la triste ironie de votre réussite éclatante alors que la jeune fille qui ne veut pas que vous l'aimiez s'est lentement transformée en un fantôme qui se tient peut-être douloureusement près de vous ? Est-ce au cri des SA qui ont défilé sous vos fenêtres, il y a quelques mois, en brandissant les flambeaux de la victoire ? N'est-il pas étrange qu'une telle chose devienne réelle alors que ce qui aurait dû l'être reste cantonné à jamais dans les limbes infinis du possible ? Ce n'était pas le vent dans les feuillages, ce n'était pas le brouillard, c'était le roi des aulnes, ivre d'amour meurtrier, le père serre contre lui son enfant dont le cadavre ne pèse pas plus lourd qu'un souvenir d'enfant entre ses bras, pas plus lourd que l'absence d'Adelheid, les SA triomphent et vous ne parvenez pas à les haïr, vous ne pouvez croire que ces braves jeunes gens se laisseront encore longtemps abuser par un charlatan, ils reviendront de leur ivresse, mais vous ne savez rien de cette ivresse-là, vous ne savez rien du pouvoir, de la jouissance inouïe des troupeaux, vous ne pouvez pas savoir que quelque chose vient de commencer pour l'Allemagne qui ne s'achèvera qu'en ce mois de novembre 1989 durant lequel je regarde incrédule, assis près de ma mère face à l'écran de télévision, ce que vous auriez tant voulu voir et ne verrez pas, la chute du mur que je croyais éternel et la fin du seul monde que j'avais connu jusqu'ici. L'impossible devient réel avec une désarmante simplicité. Dans votre ville natale, sous les yeux de pierre impassible des prêtres et des saints qui semblent échappés d'un cauchemar de Pauli, les gens de l'Est passent le vieux pont sur le Main, ils se garent devant le palais du Prince-Évêque, dans la nuit glaciale. À la radio, le maire demande qu'on les sauve du péril que leur font courir leur curiosité et la liberté retrouvée en leur apportant de la nourriture et des boissons chaudes, en leur donnant un abri, et les habitants de Würzburg partent à la rencontre de ceux qu'ils n'ont pas vus depuis si longtemps qu'ils ne les connaissent plus. Ils les blessent peut-être sans le vouloir;

après une séparation de quarante ans, la bonne volonté a quelque chose de dérisoire. Ils détaillent leurs vêtements étranges, leurs voitures impossibles ; ils les accueillent avec une compassion entendue, excessive, non comme des frères qu'on désespérait de retrouver, mais comme des convalescents enfin débarrassés d'une maladie honteuse, qu'on connaît pour l'avoir soi-même contractée mais dont on est fier d'avoir heureusement guéri bien avant eux – et c'est leur dire que leur vie entière n'a été qu'une longue maladie.

Professeur Heisenberg, il vous est appartenu, si jeune encore...

Il y a tant de choses que vous ne pouvez savoir, tant de choses que je ne comprends pas, mais, si cette maladie existe, s'étendant sur des générations, vous devez en ressentir confusément les premières atteintes qui corrompent votre joie et lui donnent les saveurs amères d'une tristesse sans remède tandis que s'efface l'ombre d'Adelheid et que le président de l'Académie royale des sciences de Suède salue en vous le fondateur de la mécanique quantique avant de se lancer dans l'éloge des travaux de vos collègues.

Professeur Dirac.
Professeur Schrödinger.

Vous êtes à nouveau seul, là où je ne peux vous rejoindre, là où, en vérité, personne ne le peut, attendant de vous incliner devant le roi qui doit vous remettre votre prix, et vous voici debout, en équilibre au-dessus du vide, perché sur le pilier d'une terrasse au Japon, près de Dirac dont vous ne percevez pas l'inquiétude parce que vous ne le regardez pas, vous ne regardez rien ni personne, vous enfouissez timidement vos mains dans les poches de votre pantalon et vous êtes tout seul, comme suspendu à votre tour entre le possible et le réel, devant un ciel sans couleur, avec votre jeunesse intacte, si émouvante et inutile.

vitesse

Maintenant c'est le monde tout entier que vous regardez s'effacer au coin d'une rue de Leipzig, un matin de janvier 1937. Vous tendez votre sébile du secours d'hiver aux passants. Vous leur remettez, en échange de leurs dons, un insigne en ferraille aux armoiries de la Saxe qu'ils épinglent au revers de leurs manteaux d'hiver avant de s'éloigner dans le froid. Vous ne pouvez plus vous rappeler pourquoi vous agissez ainsi mais c'est sans importance parce que le monde s'efface, le monde tout entier. Vous regardez autour de vous en essayant de comprendre ce qui a changé. Vous pouvez toucher les immeubles, sentir la pierre glacée sous vos doigts, mais vous ne vous fiez pas à vos sensations.

Tout est mensonger.

Les passants, les rues de Leipzig et vous-même n'êtes que les personnages d'une comédie grotesque destinée à exalter l'indéfectible solidarité du peuple allemand dont tous les membres, fussent-ils d'éminents lauréats du prix Nobel, sont prêts, pour peu qu'on leur en fasse la suggestion insistante, à sacrifier volontairement une précieuse partie de leur temps pour venir en aide aux déshérités en sollicitant l'infaillible générosité de leurs compatriotes, lesquels mettent la main à la poche dans un élan spontané qui réchauffe les cœurs, malgré les rigueurs de l'hiver.

Peu importe que tout soit mensonger, peu importe que la minutie de la mise en scène, en rendant obligatoires le volontariat et la générosité spontanée, les vide de leur sens jusqu'à les transformer en un mensonge dont la puanteur vous accable bien davantage que le froid, car la vérité et le mensonge sont désormais affaire de décret et personne ne vous autorise plus à en juger.

Peu importe votre désespoir.

Vous êtes debout au coin d'une rue de Leipzig, vous ne bougez pas, et pourtant vous êtes entraîné, à une vitesse indéterminée, presque nulle et presque infinie, dans un mouvement dont vous craignez qu'il vous emporte à jamais et qui commence maintenant, au moment où le monde s'efface tout entier sous vos yeux. Vous voyez à travers les pierres glacées des immeubles, vous voyez à travers le corps des passants, non ce qu'ils cachent, mais ce qu'ils sont, des ruines chancelantes comme un décor de théâtre, que baigne la lueur du phosphore, un amoncellement de gravats poussiéreux, gisant à l'abri de hauts murs inutiles, dans un épouvantable désordre de pierres incandescentes, de planchers effondrés, d'argenterie en fusion et de poutres métalliques, tordues comme des os brisés et, entre ces ruines, se pressent des cadavres qui n'avancent dans le matin d'hiver que parce qu'ils se croient vivants, nul ne les ayant encore avisés qu'ils sont morts depuis longtemps, et voués comme le monde tout entier au châtiment incurable de l'irréalité, si bien qu'ils ne sont même plus des cadavres mais des simulacres, des âmes perdues auxquelles est refusée jusqu'à l'aumône de la damnation. Vous devriez vous sentir mortellement triste mais vous n'y parvenez pas, vous n'êtes plus qu'un regard, pur et désincarné, contemplant le désastre et vous ne vous rappelez plus qui vous êtes, ni même si, un jour, vous avez été quelqu'un.

Laissez-moi vous aider, je vous en prie.

Vous vous appelez Werner Karl Heisenberg.

Vous avez trente-cinq ans et, entre autres choses essentielles, vous êtes physicien.

Ce soir, vous êtes attendu chez des amis pour interpréter la partie de piano d'un trio de Beethoven.

Le miroir que vous tend la proximité de vos semblables, ces âmes perdues qui s'obstinent à parodier la vie, vous semble bien plus difficile à supporter que la solitude et vous préféreriez ne pas vous y rendre.

Par loyauté, par épuisement ou par courtoisie, vous vous y rendrez quand même.

Vous y ferez la connaissance de mademoiselle Elisabeth Schumacher dont le regard posé sur vous pendant que vous jouez vous rappellera, avec la musique de Beethoven, que la réalité ne peut être entièrement abolie, fût-ce par décret, pas plus que la distinction entre le mensonge et la vérité qui demeure préservée quelque part, hors des atteintes des hommes. Rien ne vous aura jamais semblé aussi réel que ce regard posé sur vous, que vous n'aurez pas même besoin de croiser pour sentir vos mains redevenir vivantes sur le clavier et votre cœur s'emplir de la confiance que vous pensiez perdue. Vous êtes si fatigué du commerce des fantômes. Il est temps de les laisser s'en aller.

Vous vous rappelez, maintenant : vous vous appelez Werner Heisenberg, vous avez trente-cinq ans et ce soir vous allez rencontrer votre femme. Mais, pour l'instant, vous êtes debout au coin d'une rue de Leipzig et le monde qui s'efface tout entier sous vos yeux, je suis désolé de vous le dire, vous ne le reverrez jamais.

Le mouvement qui vous entraîne n'a peut-être pas reçu sa première impulsion à Leipzig en 1937 mais, sans que vous en preniez conscience tant sa vitesse inouïe était alors imperceptible, bien des années plus tôt, en 1922, exactement au même endroit – car il n'y a aucun doute quant à la position, qui est déterminée avec toute la précision requise. Vous aviez pris une chambre dans un hôtel sordide, le seul que vous aviez alors les moyens de vous offrir, pour venir assister, sur les conseils de Sommerfeld qui vous avait payé le voyage, à une conférence d'Einstein que vous ne connaissiez pas encore. J'imagine combien vous étiez heureux à l'idée que les mystères de la théorie de la relativité générale, dont vous ne saviez que ce que Wolfgang Pauli avait consenti à vous en expliquer, vous seraient bientôt exposés de la bouche même de son créateur qui accepterait peut-être de répondre en détail et en personne, pour peu que vous lui soyez présenté par Sommerfeld, aux innombrables questions que vous vouliez lui poser. Un tel bonheur ne peut que s'accompagner d'une extrême vulnérabilité et j'imagine aussi la douleur de votre désillusion au moment où vous appreniez si brutalement, à la lecture du tract qu'un étudiant vous avait fourré dans les mains à l'entrée de la salle de conférences, deux nouvelles désespérantes : la première, que la science n'était pas un sanctuaire inviolable, à jamais préservé des souillures de l'idéologie et de la politique; et la seconde, également fâcheuse quoique infiniment moins tragique, que l'obtention du prix Nobel n'offrait aucune garantie durable contre l'imbécillité. En 1905, le prix Nobel était, en effet, venu récompenser les travaux de Philipp Lenard, le rédacteur du tract dans lequel il se répandait sans la moindre retenue en invectives contre Einstein dont la théorie de la relativité exprimait la quintessence d'une abominable physique typiquement juive, qui arborait de toutes parts les marques perverses d'une hostilité typiquement juive envers le bon sens, doublée d'un goût tout aussi typiquement juif pour les conjectures théoriques infondées, les paradoxes stériles et l'usage de mathématiques suffisamment obscures pour que la bonhomie candide des Aryens s'y fourvoie. Un tel tissu de sornettes et d'absurdités ne devait sa renommée qu'aux efforts de la juiverie internationale qui s'était employée à en vanter les mérites fallacieux, faisant ainsi la preuve irréfutable de sa puissance sans limites comme de son mépris de la vérité et de la réalité. Car c'est sous la seule autorité de son amour de la vérité et de la réalité que l'auteur du tract prétendait mener son combat pour préserver ce qu'il appelait la physique allemande de la corruption juive qui l'infectait – ce même homme que la haine et la peur avaient aveuglé au point de le rendre incapable de percevoir le monde sous d'autres couleurs que celle de ses obsessions ; ce même homme qui se satisfaisait maintenant en toute quiétude du sophisme rassurant et typique, celui-ci, non des Juifs, mais des imbéciles, selon lequel tout ce qui est absurde étant incompréhensible, il s'ensuit que tout ce qu'on est incapable de comprendre est nécessairement absurde. Il y aurait eu de quoi rire, et aussi de quoi trembler. Vous n'avez fait ni l'un ni l'autre. Pour vous, il était tout simplement inconcevable qu'un homme de science s'avilît ainsi et prît par là même le risque d'avilir tout ce qu'il aurait dû protéger. Vous étiez trop désemparé pour rire et trop naïf pour trembler, il vous était impossible de croire que des choses aussi manifestement ancrées dans la plus parfaite irréalité pussent produire des effets de quelque ampleur ailleurs que dans les ténèbres d'un esprit malade et, au fond, quinze ans plus tard, vous ne pouviez toujours pas y croire, même s'il était devenu évident que le mouvement qui venait de recevoir sa première impulsion ou, du moins, de vous laisser entrevoir l'existence de sa longue course souterraine, produisait partout ses effets. Dès 1933, les savants juifs, chassés l'un après l'autre des universités, privés de ressources du jour au lendemain sans que fussent aucunement pris en considération leur valeur, leur sang versé pour l'Allemagne ou la simple humanité, avaient émigré en Angleterre, en Irlande, en Suisse, aux États-Unis, dans l'incroyable indifférence de leurs collègues qui avaient pour la plupart refusé de signer les pétitions de soutien, par conviction, par lâcheté ou, pire encore, par simple opportunisme, en se réjouissant qu'un coup de chance inespéré libérât d'un seul coup tant de postes auxquels leur médiocrité leur interdisait jusque-là de prétendre. Était-ce cela le sanctuaire de la science? Était-ce donc cela? Vous aviez envisagé de démissionner et, plutôt que de voir l'irréalité gangréner le monde tout entier, comme cela devait finalement arriver en ce matin de janvier 1937, au coin d'une rue de Leipzig, vous ne cessiez de vous demander s'il ne vous faudrait pas partir vous aussi, comme l'avait fait Schrödinger, afin que votre présence ne cautionne pas une infamie, et c'est dans la petite ville où je passe l'été 1995, au bord de la Méditerranée, que me parviennent les échos de votre tourment.

On essaye de comprendre les choses à partir de sa propre expérience parce que c'est tout ce dont on dispose et c'est, bien sûr, très insuffisant, on ne comprend rien, ou on comprend de travers, ou seulement l'inessentiel, mais quelle importance?

Vous savez bien que c'est seulement ainsi qu'on peut apprendre ce que comprendre signifie vraiment.

En 1995, le monde qui m'entoure ne s'efface pas, il ne déverse pas sous mes yeux ses entrailles pleines de ruines, il ne menace pas de se dissoudre d'un instant à l'autre dans le néant de l'irréalité, mais j'ai du mal à en faire partie. Quand l'armée m'a libéré, à l'automne de l'année précédente, du service militaire que je n'avais cessé de reporter, de sursis en sursis, en me persuadant que j'allais y échapper, jusqu'à ce que l'infaillibilité de l'Administration brise mes espoirs insensés et m'envoie croupir pendant dix mois dans un camp de cavalerie isolé sur une immense plaine humide et grise, où j'ai partagé mon temps entre les corvées, d'ineptes travaux administratifs, la fréquentation de vos textes et la sidération, je n'avais pas de travail et nulle part où aller. Mon père m'a demandé de venir m'installer chez lui, au milieu de gens que je connais seulement pour les avoir côtoyés pendant les vacances et dont la compassion, infatigable et cérémonieuse, ne semble pas avoir d'autre but que de me tenir à distance. Je ne m'en afflige pas, je les laisse me répéter combien ils sont désolés pour celle qu'ils n'appellent plus autrement que *"ta pauvre mère"* et qu'aucun d'eux n'a accepté de rencontrer quand c'était encore possible. Tout ce qui se réfère à ma vie passée ne me concerne plus. Je n'en ai rien conservé que vos livres. J'ai cessé de les lire mais je les emporte partout avec moi ; cet été-là, ils se couvrent de poussière près de mon lit, dans la soupente crasseuse que je partage avec le cousin auquel mon père, lassé du spectacle de mon apathie, m'a confié pour la saison afin que je lui apporte mon aide dans la gestion de son restaurant, ouvert sur les remparts surplombant le port d'une vieille ville fortifiée, que la lèpre du tourisme a dégradée en station balnéaire. Tous les soirs, à la fermeture, mon cousin me remet une somme d'argent déraisonnable, non sans avoir pris soin au préalable, avec une grande délicatesse, de la baptiser *"salaire"* pour m'épargner la honte d'avoir à m'avouer que je reçois la charité, ce qui est pourtant si évident que je suis bien contraint de me l'avouer, à vrai dire sans la moindre honte – mon aide se résumant à passer mes soirées près de la caisse, affalé dans un gros fauteuil club en cuir où je rêve, en buvant tout ce qui me tombe sous la main, au roman que je vais bientôt écrire. Il y serait question d'un personnage dont la vitesse et la position ne peuvent être exactement déterminées, qui sent parfois son corps s'étaler dans les ruelles d'une ville semblable à celle-ci, en recouvrant toute la surface jusqu'à ce que le regard des autres le force à se matérialiser en un point précis, et la question de savoir s'il souffre d'un trouble psychique inconnu ou s'il fait l'expérience d'une réalité inconcevable ne devrait pas être élucidée. Mais je n'écris pas, je passe mes journées à dormir et mes nuits à m'imaginer suivre mon cousin dans tous les cabarets et les boîtes de la ville, guettant une apparition sans cesse ajournée, alors qu'en vérité, ce sont les traces de votre parcours que je suis, jusqu'à Berlin, en 1933, au moment où vous sortez de chez Max Planck dont la sagesse devait vous libérer de votre tourment ou, du moins, l'apaiser – ce tourment si profond que les échos m'en parviennent encore.

Mais Planck ne vous a pas libéré. Il n'avait plus d'espoir. Hitler était la proie d'une haine délirante et morbide qui l'avait totalement coupé de la réalité. La catastrophe était inévitable et rien ne pourrait l'empêcher, pas même le sacrifice. Pour ceux qui, comme vous, n'étaient pas juifs et ne soutenaient pas le régime, il n'y avait qu'une alternative sérieuse : émigrer ou rester en Allemagne. Toutes les universités du monde seraient, bien sûr, prêtes à vous accueillir, vous n'auriez aucune difficulté à émigrer. Mais, puisque vous n'y êtes pas contraint, Planck a suggéré que vous restiez en Allemagne pour y créer ce qu'il appelle des *"îlots de stabilité"* à partir desquels on pourrait, après la catastrophe, reconstruire ce qui a d'ores et déjà commencé d'être détruit et qui le serait alors bien davantage. Aucun choix n'était le bon, il le comprenait.

Partir, c'est accepter que Philipp Lenard, Johannes Stark et tous les esprits malades pour lesquels la science portait les traces de ses origines raciales s'emparent des universités pour y instaurer le règne exclusif de leur délire.

Rester, c'est se condamner à des compromissions inévitables, comme celle à laquelle Planck lui-même devra consentir, un an plus tard, en faisant le salut nazi lors d'une cérémonie d'inauguration, s'y reprenant à trois fois, comme si la vieille main tremblante d'humiliation qu'il devait lever était devenue une main de fonte.

Vous marchez maintenant seul dans les rues de Berlin et, même si vous devez encore hésiter pendant des années, vous venez peut-être de décider, sans même vous en rendre compte, que, malgré les compromissions inévitables, malgré les appels qu'on ne cessera de vous adresser de toutes parts, malgré les prières auxquelles succéderont bientôt les soupçons, vous ne partirez pas car vous voulez bâtir un de ces *"îlots de stabilité"* – mais comment de tels îlots subsisteraient-ils alors que le mouvement qui vous entraîne et dans lequel vous vous débattez en vain est si chaotique que l'idée même de stabilité a perdu tout son sens ? Comment subsisteraient-ils sous un déferlement d'une violence si monstrueuse que même un pessimisme infiniment plus radical que celui de Max Planck ne pourrait la prévoir? Max Planck lui-même aurait-il donné le même conseil de résignation s'il avait pu savoir qu'à la mort de son dernier fils, Erwin, pendu en 1945 après l'échec de l'attentat contre Hitler, le désespoir le conduirait presque à se révolter, pour la première fois d'une si longue vie, contre un Dieu qu'il avait toujours fidèlement servi et qui, en récompense, ne l'avait protégé de la mort que pour lui laisser le privilège d'enterrer tous ses enfants? Il m'est si facile de faire valoir contre la naïveté du pessimisme de Planck, et contre la naïveté de vos propres tourments, la seule supériorité dont je dispose, celle, contingente mais indiscutable, que me confère ma date de naissance. Si vous aviez pu jouir, ne serait-ce qu'un instant, de cette pauvre supériorité, peut-être n'auriez-vous pas pris la même décision. Mais ce n'est pas sûr, car rien n'a pu l'ébranler, pas même les attaques, de plus en plus précises et menaçantes, qui vous prenaient pour cible.

Vous êtes un traître, un sectateur de Bohr et d'Einstein, un allié des Juifs, un Juif vous-même, au fond, d'une espèce d'autant plus pernicieuse et maligne que coule dans vos veines un sang incontestablement aryen, car c'est votre âme qui est corrompue jusqu'au fond, vous êtes *"le dépositaire de l'esprit d'Einstein"*, un *"Juif blanc"* que Johannes Stark, dans les colonnes du journal des SS, suggère de supprimer ou d'envoyer au plus tôt dans un camp de concentration, par

mesure de prophylaxie élémentaire, pour protéger la jeunesse de son influence morbide – et
ceux qui croient vous insulter ainsi confessent
malgré eux que le terme "juif", au-delà de sa signification raciale, ne leur sert qu'à regrouper au
sein d'une même catégorie métaphysique tout ce
qui leur échappe, tout ce qui les rend malades de
peur parce qu'ils ne le comprennent pas.

Mais vous ne partez pas.

En souvenir de l'époque où son mari et votre
grand-père travaillaient ensemble dans un
lycée de Munich, la mère de Himmler accepte
de recevoir la vôtre, à laquelle elle promet que
son petit Heinrich, si gentil, si attentionné que,
malgré les obligations qui l'accablent, il n'oublie
jamais de lui envoyer des fleurs pour son anni-
versaire, ne manquera pas de réparer l'injustice
qui vous est faite car, demande-t-elle avec, dans
la voix, une inquiétude trahissant la crainte que
sa question ne soit pas seulement rhétorique,
rien ne le détourne du droit chemin, n'est-ce
pas ? Himmler ordonne une enquête qui vous
conduit régulièrement jusqu'aux locaux de la
Gestapo dans lesquels vous pénétrez en tâchant
de rester maître de vous-même, appliquant
scrupuleusement la consigne affichée partout
sur les murs de respirer profondément, hanté
par l'angoisse de lever soudain sur les hommes
qui vous interrogent un regard de victime auquel ils ne résisteront pas, ce regard plein de
terreur et de prières, ou plein de dégoût, de défi,

de renoncement, qu'on reconnaît à chaque fois, quoi qu'il exprime, parce que c'est le regard du siècle. Mais on vous permet de prendre congé et vous vous retrouvez, soulagé et tremblant, dans la Prinz-Albrecht-Strasse. Au bout de quelques mois, Himmler écrit à Heydrich que votre mort n'est pas souhaitable. Vous pouvez être utile. Vous avez gagné le droit d'enseigner la physique comme vous l'entendez à condition de ne prononcer aucun nom juif.

Teniez-vous tant que cela à bâtir un *"îlot de stabilité"*? Cela vous semblait-il obéir à une si haute nécessité que vous deviez finir par reprocher à Schrödinger de s'y être soustrait en émigrant? Votre obstination ne relevait-elle pas plutôt, secrètement, de l'amour-propre ou même d'un orgueil aveugle et démesuré? À moins que vous n'ayez obéi à ce sentiment mystérieux que je suis incapable de ressentir bien que je me rappelle l'avoir vu à l'œuvre. Mon cousin semblait parfois ployer sous un poids énorme qui menaçait de le terrasser, et il lui fallait fuir, peut-être la canicule et l'incessante frénésie estivale, peut-être la migraine, le souvenir de nuits sordides ou quelque chose de plus sombre dont j'ignorais la nature. Il m'emmenait alors en montagne boire un café sur la terrasse d'un gîte d'étape, dans un ancien village de transhumance que traversait un sentier de randonnée. Nous y passions un moment, dans la fraîcheur des fougères, à l'ombre de grands pins. Mais son humeur restait maussade. Il ne m'adressait pas la parole. Nous reprenions sa voiture pour retourner en ville et soudain, sans que rien le laissât prévoir, au détour d'un virage, apparaissait la mer. Nous dominions le paysage, comme si nous étions suspendus dans l'air limpide, au-dessus de la route en lacets dévalant à pic à travers la forêt vers le golfe éblouissant qui s'étendait mille mètres en contrebas. Mon cousin ouvrait de grands yeux sur ce panorama qu'il connaissait depuis son enfance mais semblait découvrir à chaque fois comme si c'était la première. Il faisait une grimace incrédule, se mettait à sourire et me donnait des petits coups de poing sur la cuisse en disant, putain! quand même, hein? incapable d'exprimer avec davantage de clarté le sentiment qui le bouleversait et lui rendait aussi instantanément le goût de vivre, dans lequel il n'était pas difficile de reconnaître une curieuse forme d'amour qui aurait pris pour objet, non un autre être humain, mais une petite partie bien déterminée du vaste monde inerte, et dont, quoique je sois moi-même incapable de le ressentir, je devais cependant admettre l'incomparable puissance. Vous étiez certes un être moins fruste que mon cousin et vous aviez, bien plus que lui, l'habitude d'affronter l'ineffable mais je crois que vous étiez la proie d'un amour semblable, un amour définitif, bien plus puissant que l'orgueil, les menaces et les rêves et qui, quoi que vous eût dit Planck, ne vous laissait, au bout du compte, aucune alternative. À cause de cet amour, laissant derrière vous les amis qui vous ont pour la dernière fois supplié de ne pas rentrer en Allemagne, vous reviendrez des États-Unis sur un paquebot presque vide qui vous ramène vers une guerre désormais inévitable mais, pour l'instant, vous êtes dans votre maison d'Urfeld, peut-être en 1938.

Vous croyez encore qu'une alternative douloureuse s'offre à vous et vos hésitations vous font souffrir plus que jamais.

Mais vous levez les yeux vers le Walchensee qui s'étend devant vous, dans la brume ou en plein soleil, peu importe, et vous accueillez vous aussi avec une grimace incrédule la puissance de l'amour qui vous submerge avant de vous tourner vers Elisabeth pour lui dire, en serrant de toutes vos forces ses mains entre les vôtres, ce qu'il vous semble maintenant avoir toujours su.

Mon Dieu, c'est tellement beau ! Jamais je ne pourrai partir.

Debout devant le miroir de sa chambre, le capitaine Ernst Jünger observe sans complaisance l'officier de la Wehrmacht qui lui fait face, dans lequel il ne reconnaît qu'une parodie grinçante de sa jeunesse. Tout lui semble à la fois familier et curieusement déplacé. Si vite que passent les années, elles ne peuvent être abolies. Elles demeurent, et donnent à la pompe de l'uniforme qu'il fut si fier de porter la teinte désagréable de l'inauthenticité, comme s'il lui était rendu sous la forme un peu indigne d'un costume de théâtre, taillé pour un rôle qu'il n'a plus l'âge ni l'envie de jouer, dans une pièce qu'il connaît bien pour y avoir jadis triomphé mais dont l'intrigue est si peu faite pour vous que, sur vos épaules, le même uniforme prend l'allure d'un déguisement franchement ridicule. Plutôt que d'y penser, vous avez tâché de considérer les séances d'entraînement comme une occasion de faire de l'exercice au grand air. Quand la guerre est déclarée, au lieu d'être appelé, comme vous vous y prépariez, dans un régiment de chasseurs alpins, vous êtes convoqué, avec Carl Friedrich von Weizsäcker, dans une administration berlinoise où vous ne tardez pas à comprendre que vous allez bientôt courir un risque plus grand que celui de mourir sous l'uniforme d'un soldat de comédie.

On vous demande de vous pencher sur les possibles applications pratiques d'une découverte qu'Otto Hahn a faite l'année précédente en étudiant les noyaux lourds. En bombardant de neutrons des atomes d'uranium, on provoque dans la matière un changement obscur, l'apparition d'un élément mystérieux qu'il n'a pas encore été possible d'identifier à coup sûr, quoique d'audacieuses conjectures aient été avancées, et dans lequel Otto Hahn se résigne à reconnaître du baryum, métal bien connu, d'une trivialité totalement dépourvue de mystère, à ceci près qu'il n'a rien à faire là. La seule explication de cette présence incongrue est qu'un neutron a provoqué la fission du noyau d'uranium qui s'est transformé en deux atomes, plus légers, dont un de baryum, non sans avoir libéré une énergie suffisante pour déplacer un grain de poussière. Si cette fission engendrait à son tour, en nombre suffisant, des neutrons capables d'aller briser d'autres noyaux, elle initierait alors une réaction en chaîne qu'on pourrait utiliser pour produire de l'énergie ou un explosif d'une puissance insoupçonnable. La guerre n'a pas encore élevé partout les murailles du secret et la nouvelle se propage, par l'intermédiaire d'un Niels Bohr au comble de l'excitation, d'Europe jusqu'en Amérique. Les tableaux noirs du monde entier se couvrent d'équations frénétiques, esquissées, biffées, corrigées et sans cesse reprises par des hommes de plus en plus fébriles, non parce qu'ils ont enfin réalisé, sans même l'avoir voulu, les rêves de transmutation des sorciers et des alchimistes, mais parce qu'ils entrevoient déjà une perspective exaltante et terrible dont Niels Bohr espère encore prouver qu'elle est théoriquement impossible : la fabrication d'une bombe aux effets si dévastateurs qu'il serait vain d'essayer de s'en protéger, comme il est vain de fuir la mort ou de chercher un refuge contre la colère de Dieu. Mais Niels Bohr devra renoncer à ses espoirs dont les lois de la nature n'ont que faire. L'obstacle théorique majeur qui aurait dû se dresser sur le chemin de la bombe se brise et se fragmente peu à peu en une série de problèmes techniques dont l'office des armements vous charge de déterminer comment, et en combien de temps, vous pourrez les résoudre, en vous laissant tout loisir d'utiliser, pour la réussite de votre mission, autant de physique juive que nécessaire.

Pensiez-vous, comme votre ami Carl Friedrich en était alors convaincu, avec un machiavélisme incroyablement enfantin, que la maîtrise de l'énergie atomique donnerait aux scientifiques du pouvoir sur Hitler et leur permettrait de donner aux événements un cours favorable? Envisagiez-vous seulement de profiter de votre situation pour préserver la science allemande et tenir éloignés du front ses représentants les plus jeunes et les plus prometteurs en prétendant qu'ils vous étaient indispensables? Avez-vous accepté de diriger les recherches pour mieux les ralentir et les entraver ou simplement parce que, là où vous aviez été emporté à une vitesse inimaginable, vous aviez depuis longtemps laissé loin derrière vous toutes les possibilités de refus? À moins que vous n'ayez succombé, ne serait-ce qu'une seconde, bien que je me refuse à le croire, à l'enthousiasme toxique de voir votre pays retrouver la grandeur dont on l'avait injustement privé et que vous ayez voulu participer de tout votre cœur à ses victoires éclatantes, sans plus vous soucier de la nature des maîtres que vous deviez servir.

C'est inextricable.

Toutes les histoires sont nécessairement cohérentes; les motivations les plus diverses, les plus incompatibles vous auraient conduit à adopter un comportement rigoureusement identique et à prendre exactement la même décision, et de toutes ces histoires cohérentes dans lesquelles vous vous parez tour à tour des visages de l'irresponsabilité, du renoncement, de l'intégrité, de la complaisance et de l'infamie, personne ne peut deviner laquelle est vraie, surtout pas moi qui traverse en aveugle la chaleur de l'été 1995, incapable de percevoir la peur, la tristesse et l'accablement pourtant de plus en plus manifestes de ceux qui m'entourent. Toutes les nuits, quand nous regagnons notre soupente dont la saleté a atteint un niveau si apocalyptique que les filles qui acceptent de nous y accompagner poussent des cris d'horreur en la découvrant avant d'esquisser un mouvement de fuite que des trésors de diplomatie ne parviennent pas toujours à enrayer, mon cousin me demande d'attendre dans la rue jusqu'à ce qu'il me donne la permission de le rejoindre et je lui obéis sans même me demander pourquoi, tandis qu'il s'avance seul vers l'obscurité de la cage d'escalier d'où me parvient pour un instant encore sa respiration haletante. Je ne me demande pas davantage pourquoi mon père semble vieillir à une vitesse prodigieuse entre chacune de ses visites qu'il consacre, après s'être rituellement inquiété de ma mauvaise mine, à d'interminables conciliabules avec des hommes que j'ai déjà croisés mais dont je ne reconnaîtrai pas le visage sur la première page du quotidien régional quand on les aura abattus à la sortie de chez eux, au petit matin, ou sur la route d'un village perdu, dans leur voiture, leur bras ensanglanté pendant le long de la portière qu'ils n'auront pas eu le temps d'ouvrir. Mais je ne sais rien du sang, si ce n'est le goût de celui qui coule de mes narines et que je recueille du bout de la langue, avec un sourire béat, sur le parking d'une boîte de nuit dans laquelle des touristes dansent et sautent en rythme en levant les bras au ciel. Je pense de moins en moins au roman que je voulais écrire. Je me consacre tout entier à l'observation puérile de ma déchéance qui, au fond, m'emplit de fierté en même temps qu'elle apaise mes velléités créatrices car j'imagine qu'elle ressemble, jusque dans son ignominie, à celles que décrivent les romans russes. Je ne vois pas le Christ en croix saigner dans la fraîcheur des églises qui ouvrent leur bouche d'ombre sur les rues écrasées de soleil. Je ne vois pas mon père et ses amis mener leur guerre invisible et dérisoire, qui n'empêche même pas les touristes de sauter en rythme sur les pistes de danse, les bras levés au ciel, bien qu'elle dure depuis mille ans, sans fin, sans raison et sans gloire, avec ses victimes et ses assassins que la lassitude a rendus indiscernables, réunis dans le même oubli, les cérémonies machinales de ses deuils, et elle ne cessera jamais parce que jamais elle n'a eu ni n'aura aucune conséquence sur l'avenir du monde qui pèse sur vous de tout son poids intolérable.

Vous travaillez sur un réacteur nucléaire capable de produire de l'énergie.

Vous savez qu'il est possible, au prix d'efforts techniques considérables, de construire une bombe qui déciderait de l'issue de la guerre et vous ne pouvez pas espérer que vos collègues émigrés aux États-Unis ne le sachent pas aussi bien que vous.

Quel étrange mouvement que celui qui vous a jeté, à une vitesse telle qu'aucun instrument ne peut la mesurer, au cœur même de ce que vous vouliez fuir et qui vous dégoûte, là où la connaissance asservie ne vaut plus que par le pouvoir qu'elle promet de procurer. Vous feignez encore de croire qu'il appartient aux hommes de décider si cette promesse doit être tenue mais vous le savez, le pouvoir n'appartient pas aux hommes, il ignore leurs rêves de maîtrise et chemine parmi eux, à travers eux, indifférent à ceux qui le désirent comme à ceux qui le craignent, qu'il tient tous sous sa coupe souveraine. Otto Hahn, après avoir vainement suggéré qu'on se débarrasse de tous les stocks d'uranium, a prévenu que, si les recherches auxquelles il participe devaient aboutir à la construction d'une bombe, il se suiciderait et sa résolution, pour dérisoire qu'elle fût, témoignait au moins d'une incontestable lucidité, car elle porte sur cela seul qui peut encore être décidé. Pour tout le reste, il est trop tard, même si vous ne voulez pas l'admettre et courez jusqu'à Copenhague, en septembre 1941, pour avoir avec Niels Bohr une conversation dans laquelle vous placez tous vos espoirs mais qui s'avérera, bien sûr, aussi inutile que désastreuse. Niels Bohr ne vous entend pas, il ne comprend pas où vous voulez en venir, si tant est que vous le compreniez vous-même, et tout ce qu'il croit comprendre le met hors de lui, vous êtes d'une naïveté impardonnable, ou vous essayez de l'utiliser cyniquement pour transmettre aux Alliés de fausses informations, ou vous venez chercher une absolution qu'il ne peut vous donner parce que les péchés de l'Allemagne et les vôtres ne le concernent pas, il n'est pas, il n'a jamais été votre père, et il n'est même plus votre ami, mais vous ne vous en rendez pas compte, vous vous épuisez à évoquer tout à la fois ce que vous savez, ce que vous faites, ce que vous craignez et ce que vous projetez, dans le fatras inextricable d'un discours qu'obscurcit encore l'ombre de la bombe, et vous dessinez sur un bout de papier le schéma d'un réacteur, en espérant faire comprendre à Niels Bohr que c'est sur un réacteur que vous travaillez, et pas sur une bombe, même si vous savez maintenant sans le moindre doute qu'on pourrait construire une bombe, mais il vous regarde avec horreur, persuadé que vous avez dessiné la bombe elle-même et que vous allez tout faire pour la construire.

Toutes les histoires sont cohérentes et toutes sont incomplètes, comme si le principe ne régissait plus seulement les relations entre la position et la vitesse, l'énergie et le temps, mais débordait de toutes parts le monde des atomes pour étendre son influence sur les hommes dont les pensées s'estompent et se colorent des teintes pâles de l'indétermination.

Tel n'est pourtant pas le cas.

Les pensées peuvent être cachées, secrètes, honteuses, oubliées, elles peuvent être douloureuses, inacceptables ou incomprises, elles peuvent même être contradictoires : elles ne sont pas indéterminées.

Même si Niels Bohr et vous n'avez jamais pu tomber d'accord sur ce qui s'est réellement passé à Copenhague pendant cette triste nuit d'automne, ni sur les mots qui furent prononcés, ni sur leur sens, ni même sur le lieu précis où ils furent prononcés, il s'est cependant passé quelque chose, que les sortilèges de la mémoire, les blessures et les remords ne pourront pas changer.

Peut-être vous trompez-vous tous les deux.

Vous ne pouvez avoir raison tous les deux.

Il est inutile de chercher la vérité dans la cohérence. Mais il me semble avoir un jour reconnu un parfum familier dans un village de Franconie, tout près du monument aux morts derrière lequel une main timide avait gravé sous les hautes herbes, presque au niveau du sol, une prière invisible pour l'âme réprouvée des vaincus – un insaisissable parfum de terre mouillée, de fumée, de rêve et de brume, un parfum sans âge qui rattache mon enfance à la vôtre, et je veux croire que ce seul lien, si fragile, si ténu soit-il, me donne le droit de m'adresser à vous depuis la pénombre délétère d'une soupente qui me fait horreur, comme il me permet aussi de deviner une vérité dont je sais pourtant qu'elle m'échappera toujours.

Vous vous pensiez encore citoyen d'une Athènes spirituelle.

Dans cette Athènes qui n'existait plus que dans vos rêves, il vous aurait encore été permis d'aller à Copenhague pour confier ce qui vous tourmentait à l'inlassable bienveillance de Niels Bohr, il aurait perçu votre crainte de voir vos travaux utilisés à des fins militaires, et votre espoir que tous les physiciens du monde renoncent à construire la bombe car, dans cette Athènes que la guerre n'avait pas suspendue, mais anéantie, vous auriez encore été Werner Heisenberg, le fidèle, le brillant, le sensible Werner Heisenberg, et non l'homme que vous étiez devenu aux yeux de tous, le représentant d'une nation honnie qui occupait le Danemark et presque toute l'Europe en se souillant de crimes odieux, une nation maudite que vous aviez refusé de quitter pour des raisons fallacieuses ou incompréhensibles et où vous occupiez de surcroît des fonctions officielles, si bien que vos espoirs étaient parfaitement insensés, vous n'aviez aucune chance de vous faire entendre, et même si, par miracle, Niels Bohr vous avait entendu, vous deviez vous douter qu'il n'aurait rien pu en conclure sinon qu'au prétexte de sauver le monde, vous ne cherchiez qu'à protéger l'Allemagne d'un juste châtiment qui lui viendrait de ceux-là mêmes qu'elle avait ignominieusement chassés, en quoi il n'aurait pas eu complètement tort car l'image de ceux que vous aimiez ensevelis sous les décombres d'une ville rasée par le souffle atomique hanterait vos nuits jusqu'à la fin de la guerre et, même si vous compreniez au moins que vos angoisses ne vous vaudraient la compassion de personne, vous ne compreniez pas grand-chose d'autre, vous saviez bien que votre conversation avec Niels Bohr s'était mal passée, mais vous ignoriez à quel point, l'espoir et la crainte, peut-être la nécessité, avaient fait de vous un si piètre psychologue que vous vous réjouissiez auprès d'Elisabeth d'avoir passé avec Carl Friedrich, la veille de votre départ et dans une ambiance charmante, une dernière soirée chez Niels et Margarethe Bohr pour lesquels vous aviez joué une sonate de Mozart dont la joyeuse tonalité en *la* majeur devait pourtant sonner de manière particulièrement déplacée et vous ajoutiez, pour vous en réjouir à nouveau, que vous aviez regagné votre hôtel en marchant sous un merveilleux ciel étoilé, ce même ciel où, deux nuits plus tôt, vous aviez eu la chance d'observer une aurore boréale de toute beauté.

Mais peut-être ne faut-il pas chercher la vérité dans les lettres que des hommes déçus envoient à leurs épouses en période de guerre.

Peut-être vous efforcez-vous, sans y parvenir tout à fait, à vous détourner de la vérité comme d'un poison mortel.

Le mouvement qui vous entraîne vous a emporté si loin que ceux dont l'estime et la confiance ont illuminé votre vie vous considèrent maintenant comme un ennemi, rien ne sera réparé, jamais, et il ne peut en être autrement, et l'admettre est au-dessus de vos forces. Auriez-vous accepté de payer un tel prix ? Je ne le sais pas, il n'est plus temps de poser la question, et je ne sais pas non plus dans quelle mesure vos amis se montrent justes ou injustes envers vous, mais je sais qu'au printemps 1942, vous vous retrouvez devant Albert Speer qui vous demande de lui exposer l'état des recherches allemandes sur l'énergie nucléaire. Vous parlez de votre réacteur mais Speer se tourne vers vous et il vous demande : une bombe atomique est-elle envisageable ?

Vous lui répondez franchement qu'elle l'est, du moins théoriquement, mais sa fabrication pose des problèmes techniques colossaux qu'on ne peut espérer surmonter, sans garantie de succès, avant plusieurs années de labeur acharné, au prix d'un investissement humain et financier gigantesque, tant et si bien qu'à l'issue de la réunion, le projet n'est pas retenu. Vous réclamez, pour vos recherches fondamentales, une somme si ridiculement modeste que Speer vous l'alloue avec un soupir atterré. Et, tandis que les Alliés, craignant que vous ne les devanciez dans la course à la bombe qu'ils croient mener contre vous, échafaudent des plans pour vous enlever ou vous tuer, vous poursuivez vos tentatives de mise au point d'un réacteur et vous obtenez que de jeunes scientifiques soient libérés de leurs obligations militaires pour vous rejoindre dans l'abri relatif de vos *îlots de stabilité* sur lesquels la Royal Air Force ne cesse de déverser une pluie de bombes. Vous vous obstinez à vivre, à faire des enfants qui naissent dans un monde en flammes, un monde si laid que personne ne peut le regarder en face sans désirer mourir, car la vérité est bien un poison mortel.

Vous le savez. Vous l'avez vu détruire Hans Euler, dont vous aviez dirigé la thèse et pour qui vous aviez tant d'affection. Au moment de la déclaration de guerre, vous lui avez proposé de le faire nommer dans votre laboratoire mais il avait bu le poison de la vérité et ne voulait plus être sauvé. Il ne pouvait plus vivre parmi les nazis, il ne pouvait plus vivre ailleurs, l'attitude de ses compatriotes le dégoûtait, et l'âme pourrie des hommes, et il s'était engagé dans la Luftwaffe pour effectuer des vols d'observation au cours desquels il ne pourrait tuer personne.

Quant à lui, il lui était indifférent de mourir.

Vous avez essayé de lui parler, la guerre finirait, le monde serait encore là, un monde différent, ce ne serait sans doute pas un monde meilleur mais il aurait besoin que des hommes de bonne volonté survivent pour faire au moins en sorte qu'il ne devienne pas pire que celui-ci, c'était une tâche utile, nécessaire, certaines choses méritaient d'être sauvées du néant, il secouait tristement la tête, vous aviez beau insister, il ne vous croyait plus, toutes les paroles d'espoir lui semblaient répandre une puanteur insupportable, celle du mensonge et de l'illusion, et il souffrait terriblement, car les effets du poison de la vérité sont d'abord douloureux, on songe avec nostalgie à la douceur perdue des rêves d'avenir qu'on ne fera plus jamais, aux délices du mensonge et de l'illusion dont on ne supporte plus la puanteur après s'être si longuement enivré de leur parfum délicat, aux promesses d'amour auxquelles on ne peut plus croire, mais, quelques mois plus tard, quand le poison a desséché jusqu'à la racine de la vie, il n'y a plus de nostalgie, plus de souffrance, seulement l'incomparable quiétude du désespoir, et Hans Euler vous écrivait depuis la Grèce pour vous parler seulement du ciel bleu, de la mer vineuse et du goût des oranges. Son visage juvénile s'était apaisé sous les boucles de ses cheveux blonds. Il arborait une expression semblable à celle de tous les jeunes gens qui ont, comme lui, atteint la sérénité d'un lieu situé au-delà de leur propre mort, où ils n'ont plus rien à craindre et où ils subsistent dans les limites étroites d'un présent pareil à l'éternité – le premier lieutenant Kurt Wolff et tous les pilotes disparus de la Jasta 11, le petit Ernstel Jünger, le jeune commandant de char soviétique que croisa Vassili Grossman sur la steppe kalmouke, tant d'autres, et tous ils regardent la vie en face, sans regrets, sans reproches, avec une gravité enfantine pleine de douceur. Hans Euler est un héros, peut-être de la plus haute sorte qui soit, et vous n'en êtes pas un. Sa mort fut parfaite. Vous, vous ne recherchez pas la mort, vous la fuyez au contraire autant que vous le pouvez, vous ne prenez pas de risques inutiles et jamais vous n'auriez eu l'imprudence de proclamer publiquement, comme le fera Ernstel Jünger, que si on pendait Hitler, vous feriez le voyage à pied jusqu'à Berlin pour tirer sur la corde. Vous avez peur, pour ceux que vous aimez, pour vous-même. Vous voulez vivre parce que vous savez qu'on ne lutte pas contre un monde qui consacre toutes ses forces à célébrer le culte obscène de la mort en lui offrant une mort supplémentaire, fût-elle parfaite, mais en lui opposant l'obstination imparfaite de la vie et vous vivez encore, vous vivez obstinément, alors que l'avion d'Hans Euler plonge en flammes vers la mer d'Azov et qu'en Italie, à Carrare, un jeune garçon qui ne saura pas comment finit *La Chartreuse de Parme* est étendu immobile, ses yeux grands ouverts tournés vers le ciel, sur les falaises de marbre que son père inconsolable a dressées pour lui comme un berceau.

Ce salaud de Schardin, il ne croit plus à sa propre théorie!

Le Schardin auquel s'adressent ces propos peu amènes d'Otto Hahn vient de prononcer une conférence au cours de laquelle il a doctement défendu l'idée réjouissante que le changement brutal de pression lors de l'explosion d'une bombe provoque, en faisant éclater leurs organes internes, la mort immédiate et indolore de ceux qui ont la chance de se trouver à proximité mais sa brillante démonstration a été interrompue par les sirènes d'alerte et maintenant, peu soucieux de saisir une opportunité inespérée de valider sa conjecture, au prix, il est vrai, de l'intégrité d'organes internes qui lui sont particulièrement chers, le voici recroquevillé dans l'obscurité au milieu de ses auditeurs terrorisés, luttant contre la panique, avec Otto Hahn qui se paye sa tête, tandis que le souffle des tonnes de bombes lancées sur Berlin en cette nuit de mars 1943 fait trembler les murs de l'abri où vous croyez avoir été enterrés mais dont vous finissez par sortir tous sains et saufs. Il vous faudra encore émerger ainsi d'autres sépultures souterraines pour marcher dans une ville qui n'est déjà plus qu'un cadavre de ville, à travers un pays qui n'est déjà plus qu'un cadavre de pays se consumant dans les hautes flammes rouges d'un gigantesque bûcher funéraire, avant de vous mettre à courir à toute vitesse au-dessus des flaques de phosphore avec, dans le cœur, une prière atroce montant vers un Dieu qu'on ne peut plus aimer et auquel on revient pourtant comme à une idole barbare, capricieuse et cruelle, qu'on supplie de faire tomber ses bombes sur les enfants des autres, oh, que meurent les enfants des autres et que les miens vivent, et quand vous les serrez enfin dans vos bras, vous avez honte de la joie égoïste et sauvage qui vous coupe le souffle, et honte de votre prière, mais il faut fuir encore les laboratoires et les instituts pulvérisés par les bombes en emportant avec vous l'eau lourde, les métaux rares, tous les étranges aliments dont se nourrit votre réacteur atomique expérimental qui finit par se dilater, s'emballer et se fendre en gargouillant comme un cœur humain avant d'exploser dans un jet d'uranium en fusion, vous laissant à peine le temps de reprendre la course erratique qui vous conduit partout en Europe où vous donnez des conférences sous les yeux de savants impassibles et d'espions aux aguets s'efforçant en vain de déchiffrer le secret de votre âme alors que vous avez déjà été renvoyé à la sinistre monotonie des sirènes et des bombardiers invisibles grondant dans la nuit au-dessus des mêmes cadavres de villes que les outrages de la destruction rendent indiscernables, si bien que vous avez la sensation troublante d'être toujours au même endroit, comme si le mouvement interminable qui vous entraîne, sans répit, au point que vous craignez de ne jamais en voir la fin, n'était, au bout du compte, qu'un avatar épuisant de l'immobilité.

Mais il y a aussi un second mouvement, plus secret, plus profond.

À la monotonie du chaos, il oppose seulement la calme persistance de son déploiement imperceptible, qui suffit peut-être pour que ne soit pas abandonné aux seuls adorateurs de la mort le soin de décider ce qu'est la vérité.

Ce mouvement ne pèse en aucune façon sur le déroulement des événements, il ne compense aucune horreur, ne sauve aucune vie, mais tant qu'il persiste, la voix étouffée des patries spirituelles ne s'est pas encore tue, l'espoir n'a pas été définitivement transformé en illusion, ni la vérité en poison, et en vous laissant aller à ce mouvement, chaque nuit que vous passez à écrire, vous êtes déposé dans le sanctuaire d'un îlot minuscule où ne pousse sans doute aucune fleur, au large d'un isthme sur lequel s'est tenu, bien avant vous, entre la parole et le silence, un vieux maître soufi dont nul ne sait rien, si ce n'est qu'il vécut lui aussi en un temps d'assassins et protégea de leur fureur, afin qu'elle pût être transmise en héritage, une vérité fragile, précieuse, vivante, vers laquelle mène le chemin secret des métaphores, que les assassins ne découvrent jamais parce qu'ils ne comprennent pas les métaphores. Ils ne comprennent que le répugnant code administratif grâce auquel ils croient pouvoir camoufler à leurs propres yeux, sous le voile pudique du mensonge, le morne équarrissage qu'ils ont orchestré et dont le spectacle leur donne envie de vomir, car ils aiment la mort plus que tout mais ils ne supportent pas la puanteur des cadavres dont ils épuisent la terre et le feu, ils voudraient que les morts aient la courtoisie de s'évaporer dans le néant sans laisser aucune trace de leurs pauvres existences, et ils n'ont pas d'autre choix, pour préserver leur estomac délicat du poison mortel de la vérité, que de briser par le mensonge le lien qui unit les mots aux choses jusqu'à ce que la langue, privée de sa force vitale, se raidisse et se nécrose et se mette elle-même à puer comme une charogne encombrante abandonnée au soleil. Mais à Munich, quelques étudiants chrétiens espèrent que la puanteur n'aura pas noyé le parfum salutaire de la honte au point d'avoir rendu tout refus impossible, le refus d'accepter une complicité infamante, le refus de se laisser encore abrutir et guider par *"un soldat de deuxième classe"*, auteur de cet *"ouvrage écrit dans l'allemand le plus laid*

qui soit, et qu'un peuple dit de poètes et de pen-
seurs a pris pour bible!". Au nom de cet espoir
infime, ils distribuent les textes qu'ils payeront
de leurs vies, sous le couteau de la guillotine,
sans en avoir sauvé aucune autre, tandis que,
quelque part dans la nuit, à Leipzig, à Berlin,
vous écrivez en écho, *"c'est pour cela qu'il faut*
que ceux qui connaissent encore la rose blanche
ou qui peuvent distinguer le timbre de la corde
argentée s'unissent maintenant". Partout vous
tracez dans votre carnet les lignes de fuite
pleines de vie qui vous emportent loin des assassins et de leur parole morte et vous libèrent du
fracas pour vous rendre à la tâche, qui a toujours
été la vôtre et celle des poètes, de dépasser infiniment les ressources de la langue pour dire ce
qui ne peut l'être et pour décrire aussi précisé-
ment que possible tous les ordres d'une réalité
hypothétique, multiple, indescriptible, qui fait
à peine résonner une mystérieuse corde d'argent
dont le faible son ne me parvient jamais – et
je sais maintenant que je n'écrirai jamais mon
roman parce que je suis incapable de raconter
une histoire dans une langue qui n'existe pas.

Je reste assis en silence avec mon père et mon
cousin, sur la terrasse du restaurant désert, à
deux heures du matin. C'est la première semaine
de septembre. Un quotidien étranger, acheté par
mon père, est posé sur la table avec, en première
page, le cadavre en noir et blanc d'un homme
allongé au beau milieu d'une rue, dans l'une de

nos villes. On distingue les impacts de balles dans la poitrine et dans la tête, qui semble avoir bizarrement gonflé. Ici, le journal ne publie jamais la photo des cadavres, surtout pas pendant la saison touristique. À la radio, une voix d'homme, accompagnée par un accordéon, chante dans une langue que je ne comprends pas. En l'écoutant, mon père a les yeux pleins de larmes contenues et mon cousin ne peut contenir les siennes. Ils se sont rasé la tête, en même temps que tous leurs amis, il y a quelques semaines, sans que je sache pourquoi, et la vue de ces visages si ostensiblement virils que l'émotion déforme me semble terriblement déplacée et ridicule, presque indécente. Je détourne le regard et, pour mettre un terme aux larmes et au silence, je demande à mon cousin ce que dit la chanson. Il s'essuie les yeux et m'en traduit péniblement quelques fragments incohérents – *que trouverons-nous comme excuse ? que laisserons-nous à nos enfants ? pourquoi tuez-vous tant d'espoirs ? nos peines et nos deuils, la vie ici est si dure* – et d'autres fragments encore, empreints de la même grandiloquence maladroite et sincère. Mais peut-être n'est-ce pas cette grandiloquence qui les fait pleurer. Peut-être pleurent-ils seulement d'entendre à nouveau, pour la première fois depuis des années, des paroles maladroites et sincères. Mon père me demande si je comprends ce qui est en train de se passer ici et, comme je lui ai menti en répondant oui, il ajoute que, dans ce cas, je comprends aussi que je ne peux pas rester, parce que les choses ont pris une tournure si imprévisible qu'il ne sait plus si je suis à l'abri. Il m'emmènera à l'aéroport le lendemain, je trouverai une vie qui me convient, quelque part où je serai vraiment chez moi, il ne faut pas que je m'inquiète, il ne me laissera manquer de rien, même s'il lui arrive malheur, et je sais qu'il ne m'éloigne pas seulement de sa guerre sans enjeu et sans gloire pour m'en protéger mais parce qu'elle ne m'appartient pas.

Je monte dans la soupente préparer mes affaires, j'essuie la poussière sur la couverture de vos livres que je n'ai pas ouverts depuis si longtemps et je vous retrouve enfin, dans cette nuit de 1995 où je n'écris pas, dans cette nuit de 1942 où vous écrivez qu'il n'est pas de bonheur plus haut que *"la conscience d'être chez soi"*.

Dans la langue qui est la mienne, il n'existe pas de substantif pour désigner ce *"chez soi"* et l'on doit recourir à de maladroites périphrases là où votre langue dispose de ce mot magnifique que vous écrivez dans votre carnet sans pouvoir cependant le sauver, car il a déjà été irrémédiablement empoisonné et corrompu, comme tant d'autres mots. De la bouche du *Reichsführer*, à Poznań, coule une mixture pâteuse et nauséabonde qu'il régurgite avec volupté sur l'assemblée attentive des officiers SS et dans laquelle chaque mot se voit doté d'un sens nouveau, arbitraire et immanquablement ignoble : les assassinats de sang-froid portent désormais le nom de *"devoir"* et l'on fait preuve de *"tact"* si l'on s'abstient d'en évoquer le souvenir avec ses complices; observer un comportement *"moral"* ne veut pas du tout dire, comme vous l'écrivez, *"être bon et aider les autres"*, mais ne pas dépouiller pour son propre compte, ne serait-ce que d'une seule cigarette, ceux qu'on vient de massacrer, tandis que *"rester décent"* consiste à se tenir debout devant leurs cadavres entassés en dissimulant sa nausée sous une apparence d'impassibilité ou, mieux encore, en restant effectivement impassible; l'*"amour"* désigne l'élan irrépressible d'un désir de mort et l'*"âme"* ne désigne plus rien du tout – une épouvantable sensiblerie sélective en tient lieu, une faculté presque illimitée à s'apitoyer sur soi-même qui ne court même pas le risque d'être perçue comme paradoxale puisque, dans la langue du *Reichsführer*, *"bourreau"* se dit maintenant *"victime"*. Quelque part en Biélorussie, un tireur des groupes d'intervention, penché sur une fosse, s'émeut sans doute de sa propre délicatesse en regardant la jeune femme qu'il a pris soin de tuer en premier afin de lui épargner la douleur de voir mourir son enfant, alors qu'assis sur leur paquetage, quelques SS, qui viennent d'arriver à Treblinka et n'ont pas encore appris à rester décents, vomissent devant les allées encombrées de cadavres en se plaignant amèrement de la cruauté d'une existence qui les force à contempler un tel spectacle ; plus au sud, sur le chemin des crématoires, les détenus du *Sonderkommando* s'affairent sous les yeux de Rudolf Höss qui s'attendrit à son tour de supporter si vaillamment, malgré les blessures de son cœur sensible, la douloureuse proximité de ces êtres dépourvus de compassion comme du plus élémentaire sens moral – et tous, quels que soient leur grade et leur place dans une Europe qu'ils ont transformée en équarrissoir, tous, sans exception, sont des *"victimes"*, qui doivent de surcroît endurer l'ultime injustice de demeurer à jamais incomprises.

Mais, à Paris, le capitaine Ernst Jünger écrit simplement dans son journal que les Allemands ont perdu le droit de se plaindre.

Vous devez fuir Berlin dévasté pour déplacer votre institut à Hechingen, au sud de Stuttgart, où vous poursuivez la mise au point de votre réacteur.

Dans le sillage des armées alliées, le colonel Pash et les hommes de la mission Alsos fouillent les laboratoires abandonnés pour y découvrir des informations sur l'avancée du programme nucléaire allemand et arrêter les scientifiques qui y ont participé.

À Strasbourg, dans l'institut dirigé par Carl Friedrich von Weizsäcker, le conseiller scientifique de la mission, Samuel Goudsmit, un de vos anciens collègues d'origine hollandaise, émigré depuis longtemps aux États-Unis, découvre, sans doute avec un immense soulagement, que vous n'êtes même pas encore parvenus à mettre au point un réacteur.

Mais il découvre aussi, avec une douleur surpassant infiniment son soulagement, que ses espoirs de retrouver vivants ses parents, qui ont commis l'erreur de rester aux Pays-Bas et dont il est sans nouvelles depuis 1943, seront vains. Ils sont morts depuis longtemps, sans autre sépulture que la fumée des crématoires.

Samuel Goudsmit dort dans des maisons abandonnées par des dignitaires allemands, parmi des jouets d'enfants et des insignes frappés de la croix gammée.

Il brise les meubles et la vaisselle en hurlant de remords et de haine.

Le 16 mars 1945, votre ville natale est détruite par les bombes incendiaires en moins de vingt minutes et, en avril, le colonel Pash arrive à Hechingen. Vos collaborateurs lui apprennent que vous êtes déjà parti pour Urfeld.

Le mouvement qui vous entraîne depuis si longtemps à une vitesse indéterminée, presque infinie, presque nulle, va bientôt s'achever tandis que vous roulez toutes les nuits, à vélo, pour rejoindre votre famille à Urfeld mais, alors que vous tendez les mains vers un but si proche, l'espace semble se dilater et éloigner de vous, si vite que vous vous hâtiez vers eux, le Walchensee, Elisabeth et vos enfants que vous craignez de ne jamais revoir et vous avancez sans trêve le long de ce chemin qui n'en finit pas, en guettant le bruit menaçant du moteur des avions à la recherche d'une cible, vous vous cachez dans des taillis, vous avez faim, vous croisez des enfants morts de peur dans des uniformes trop grands pour eux, traînant des fusils inutiles, et des hordes de fantômes méconnaissables, perdus dans le labyrinthe d'une défaite si totale que votre lointaine vision de Leipzig n'en traçait qu'une vague esquisse, presque aimable, et il vous semble pourtant que cette défaite est encore une victoire, peut-être la plus complète que les nazis aient jamais remportée, car ils sont parvenus à faire triompher leur rêve de mort au point qu'il va maintenant les engloutir et, avec eux, le peuple qui les a suivis, et leur propre pays que les SS sillonnent encore inlassablement pour s'assurer, avant de mourir, que nul n'échappera à la mort, ni ceux qui s'acharnent à résister inutilement, ni les défaitistes et les déserteurs, tous les traîtres qui ont eu l'imprudence d'accrocher trop tôt un drapeau blanc au fronton de leur maison parce qu'ils voulaient vivre et dont le vent fait lentement osciller le cadavre autour de l'axe immobile des cordes pendant aux branches des arbres, sous le feuillage et les bourgeons gelés, là où vous auriez pu finir pendu vous-même si le SS qui braque sur vous son arme et son regard éteint n'avait pas accepté, en échange d'un paquet de cigarettes, de vous laisser reprendre votre route, dans le froid d'un printemps glacial que la mort triomphante a transformé en hiver, jusqu'à ce que vous ayez réussi à atteindre Urfeld, où vous ne parvenez pas encore à vous libérer du sentiment d'urgence qui vous oppresse, comme si vous couriez encore à toute vitesse, malgré la bouteille de vin que vous buvez avec Elisabeth à l'annonce de la mort de Hitler, tandis que Magda Goebbels, dans un geste d'une logique implacable et éblouissante, empoisonne ses enfants dont les six cadavres en chemises de nuit immaculées, les lèvres bleuis par le cyanure et les cheveux ornés des rubans blancs que leur mère y a noués avant de les convier tous à sa fête funèbre, sont maintenant alignés devant les soldats de l'Armée rouge qui les prennent en photo mais vous, vous guettez les coups de feu qui troubleront encore le silence menaçant de vos nuits d'insomnie jusqu'au moment béni où le colonel Pash poussera la porte de votre maison pour vous annoncer qu'il doit vous arrêter et que le mouvement qui vous entraîne a enfin cessé et, même si vous savez que vous allez à nouveau devoir quitter votre femme, et vos enfants qui pleurent en vous reprochant de ne jamais tenir votre promesse de rester auprès d'eux, vous accueillez cette nouvelle avec un sourire plein de gratitude et de soulagement, parce que, désormais, la guerre est finie, vous pouvez vous reposer, vous pouvez respirer librement et saluer le retour du soleil dont les rayons font scintiller la neige sur les montagnes qui plongent dans le Walchensee et vous désirez tant partager avec quelqu'un votre joie de sentir à nouveau la présence de la beauté que vous ne pouvez vous empêcher de vous tourner vers le soldat américain debout à vos côtés, cet homme inconnu qui, depuis des mois, marche sans cesse dans l'ombre de la mort, pour lui poser, comme à un invité, d'une voix vibrante d'espoir, une question inouïe, inconsciente ou seulement candide, je ne sais pas, dont il me semble étrangement qu'elle s'adresse à moi.

Regardez et dites-moi, je vous en prie : comment trouvez-vous notre lac et nos montagnes ?

énergie

En mai 1945, Samuel Goudsmit, conseiller scientifique de la mission Alsos, se rend à Heidelberg pour rencontrer Werner Heisenberg, lequel répond à toutes ses questions avec un empressement d'autant plus chaleureux qu'il n'a pas la sensation de subir un interrogatoire mais de reprendre, après six ans d'interruption malencontreuse, une conversation amicale sous les portiques fleuris d'une Athènes spirituelle qui, bien sûr, n'existe plus. Après avoir magnanimement offert à Goudsmit de faire profiter ses collègues américains de son expérience en partageant les résultats de ses recherches sur la mise au point du réacteur nucléaire qui ne fonctionne toujours pas, il lui demande si, aux États-Unis, on s'est également intéressé à la question.

Samuel Goudsmit, impassible, répond : "non".

Werner Heisenberg le croit.

Le 16 juillet 1945, à la veille de la conférence de Potsdam, un dôme de feu auréolé d'un nuage de pourpre transparente irradie le ciel du

Nouveau-Mexique en creusant dans le sable du désert un cratère de verre et d'émeraudes brisées. Robert Oppenheimer, avec cette tendance au mysticisme que partagent plus ou moins tous ceux qui ont côtoyé l'atome, évoque, en des termes poétiques devenus trop célèbres, l'ivresse de la démesure qui s'empare des hommes quand ils deviennent des dieux.

L'arrachant à sa méditation sur la mort, le temps et la majesté de Vishnou, le responsable du test Trinity résume la situation par une courte formule qui sacrifie malheureusement le mysticisme et la poésie sur l'autel d'une vigoureuse clarté :

"Maintenant, Robert, nous sommes tous des fils de pute."

Le 6 août 1945, toutes les communications sont coupées avec Hiroshima, sans raison apparente.

Aucune escadrille de bombardiers n'a été signalée.

Quelques heures plus tard, un avion envoyé de Tokyo survole un tas de ruines fumantes s'étendant à perte de vue. À Los Alamos, Robert Oppenheimer lève les bras en signe de victoire devant une assemblée que l'annonce du succès rend hystérique. Jusqu'à la dernière minute, il a eu peur que quelque chose ne fonctionne pas. Il a rappelé pour la centième fois aux responsables militaires quelles étaient les conditions climatiques optimales pour que toute l'énergie disponible soit utilisée par l'explosion qui doit se produire à la bonne altitude, ni trop haut, ni trop bas, mais la bombe a surpassé tous les espoirs qu'on plaçait en elle.

Ses rayons ont consumé la chair de ceux qu'elle a effleurés, elle a plongé dans la nuit les yeux fascinés qui, de loin, se sont tournés sans méfiance vers son incandescence magnétique comme vers la lumière amicale d'une étoile, et elle a gravé pour toujours les motifs sombres des kimonos dans la peau blanche des femmes. L'onde de choc a traversé la ville et fait vibrer les corps, jusqu'à la rupture, brisant les organes, abattant les édifices qui ont été engloutis dans une tempête de feu, attisée par la violence de vents inconnus, tandis qu'une colonne de gravats et de cendres était aspirée si haut dans le ciel qu'elle souillait les nuages et faisait ruisseler sur le front des survivants les lourdes gouttes d'une pluie noire et grasse.

La bombe a fait connaissance avec ses victimes dont certaines, parce qu'elle a offert à la mort de nouveaux visages, n'appartiennent qu'à elle. Et parmi celles-ci, il en est qui ont, plus que d'autres, partagé son intimité et saisi la singularité inédite de son essence. Ce ne sont bien sûr pas celles qui furent, comme tant d'autres avant elles dans tant d'autres villes, ensevelies sous les décombres de leur maison ou qui périrent dans les incendies ; mais ce ne sont pas non plus celles qui ont vu leurs cheveux tomber ou leur peau partir en lambeaux, ni celles dont la partie du corps exposée au rayonnement fut brûlée jusqu'aux os quand l'autre demeurait intacte et fraîche, ni même celles que la semence radioactive secrètement déposée en elles tua des années plus tard – non : les vrais morts de la bombe ont disparu sans laisser d'eux aucune trace sauf, peut-être, une vague silhouette claire sur un mur calciné, figée dans l'instant de la révélation ; le cœur d'uranium a battu tout près du leur, ils ont communié avec le fond des choses et sont revenus d'un seul coup, sans efforts inutiles, sans étapes superflues, à la substance commune qui les compose et qui, au fond, comme cette silhouette, comme leur souvenir, comme eux-mêmes, n'est rien.

Dans un accès de pragmatisme quelque peu radical, un général américain a d'abord suggéré de les fusiller. Bien qu'elle présente l'avantage indéniable d'une séduisante simplicité, cette solution n'a pas été retenue et, le 3 juillet 1945, après de brefs séjours en France et en Belgique, les Britanniques installent dans le cottage de Farm Hall, sous la garde du commandant Rittner qui a pour consigne de les maintenir au secret mais de les traiter en invités, dix savants allemands ayant appartenu aux diverses équipes engagées dans le programme nucléaire nazi et dont les noms suivent :

Professeur Max von Laue
Professeur Otto Hahn
Professeur Werner Heisenberg
Professeur Walther Gerlach
Docteur Paul Harteck
Docteur Carl Friedrich von Weizsäcker
Docteur Karl Wirtz

Docteur Kurt Diebner
Docteur Erich Bagge
Docteur Horst Korsching

Des microphones ont été dissimulés dans toutes les pièces de la maison. Les invités ont tous donné leur parole d'honneur qu'ils ne tenteraient pas de s'en échapper ni d'entrer en contact avec l'extérieur.

On trouve parmi eux des théoriciens de renommée mondiale et de jeunes expérimentateurs. Certains ont noué depuis longtemps d'indéfectibles liens d'amitié. D'autres se connaissent à peine ou se détestent cordialement. À l'exception notable du professeur von Laue qui fut un opposant prudent mais farouche, la nature exacte de leurs relations respectives avec le régime nazi attend d'être éclaircie.

Les soldats britanniques, indifférents à ces subtilités, ayant catégoriquement refusé d'être affectés à leur service, ce sont des prisonniers de guerre allemands qui s'occupent de leur linge et leur confectionnent les repas les plus copieux qu'ils aient dévorés depuis six ans. Bien que le sort de leurs familles restées en Allemagne les inquiète et qu'ils ignorent tout de la durée de leur détention, ils apprécient le confort inespéré que leur offre le cadre bucolique de Farm Hall. Pendant quelque temps, ils se sentent presque en vacances.

Ils organisent à tour de rôle des conférences sur divers sujets scientifiques.

Ils se promènent dans le jardin.

Ils jouent du piano.

Ils prennent du poids.

Le soir du 6 août, le commandant Rittner s'isole à l'étage en compagnie du professeur Hahn pour lui annoncer qu'une bombe à uranium vient d'exploser à Hiroshima et il le voit se briser net, comme atteint par un seul coup mortel. Il le soutient, il lui glisse dans la main un verre de gin qu'il doit l'aider à porter à ses lèvres avant de le resservir. D'une voix méconnaissable, le professeur Hahn répète qu'il est coupable, il dit qu'il avait déjà songé à se suicider quand le pire était seulement possible et maintenant tout est devenu réel. Il est entouré de morts innombrables. C'est un fait. Mais lui, il est encore vivant. Le commandant Rittner n'a pas la cruauté de le lui faire remarquer. Il se contente de lui servir encore de l'alcool en prononçant d'inutiles paroles de réconfort jusqu'à ce que le professeur Hahn se sente assez calme pour redescendre au salon annoncer la nouvelle aux autres invités.

Quand l'onde de choc d'Hiroshima les atteint à leur tour, elle déchaîne parmi eux une tempête de réactions confuses où se succèdent

et se mêlent l'incrédulité, l'horreur, le soulagement, la curiosité, la déception, l'amertume.
Dans leur sidération, ils se dévoilent bien plus
profondément qu'ils ne l'auraient souhaité et
que les exigences de la pudeur ou de la courtoisie ne le permettent d'ordinaire. Les microphones enregistrent la chronique du combat
incessant, violent, incertain, que se livrent en
eux la générosité et l'égoïsme, l'abnégation et
la vanité, l'humilité et l'arrogance, la grandeur
d'âme et la mesquinerie.

Ils sont soulagés de ne pas avoir construit la
bombe, ils s'en félicitent bruyamment, mais ils
sont aussi terriblement vexés que les Américains
y soient parvenus en exploitant sans vergogne
une découverte allemande. Ils invoquent des
raisons dont ils ne se soucient pas qu'elles soient
contradictoires pourvu qu'elles expliquent ho-
norablement leur échec.

Ils se persuadent qu'ils ne voulaient pas
réussir mais que, s'ils l'avaient voulu, ils auraient évidemment réussi, à moins qu'ils n'aient
échoué quand même, par manque de matières
premières ou parce qu'on ne leur faisait pas
confiance ou parce qu'on ne leur aurait jamais
accordé, en plein effort de guerre, les moyens
nécessaires ou parce que Hitler, exaspéré de la
lenteur de leurs progrès, leur aurait fait trancher
la tête sauf, bien sûr, si les services secrets britanniques lui avaient déjà épargné cette peine en se
chargeant de les éliminer dès que la nature de
leurs travaux aurait été connue.

Ils errent dans la maison, s'isolent par petits groupes fébriles, ils échouent à accorder leurs souvenirs, s'accusent les uns les autres d'incompétence ou de sabotage ou laissent entendre, sans grand souci de cohérence, qu'ils ont eux-mêmes fait leur possible pour que leurs recherches ne puissent déboucher sur aucune application militaire.

Le professeur Heisenberg est blessé que le docteur Goudsmit, dont il suppose apparemment qu'il n'aurait rien dû avoir à faire de plus pressé que de confier un secret d'État à un physicien ennemi, ait eu l'aplomb de lui servir un mensonge aussi éhonté à Heidelberg. Il se sent ridicule d'avoir offert de partager ses connaissances alors qu'il est maintenant clair que personne en Amérique n'a rien à apprendre de lui.

Il se dit quand même heureux d'avoir travaillé uniquement sur un réacteur.

Des voix s'élèvent pour condamner l'utilisation de la bombe. Le docteur von Weizsäcker est scandalisé : il affirme que c'est *"une folie"*.

Le professeur Heisenberg lui répond qu'on peut, au contraire, considérer que c'était le moyen le plus rapide de mettre fin à la guerre. Mais, un peu plus tard, il parle à son tour du bombardement comme de l'acte *"le plus diabolique qu'on puisse imaginer"*. Il fait remarquer amèrement que, si les scientifiques allemands avaient mis au point et utilisé une telle arme, ils auraient tous été exécutés comme criminels de guerre.

Le professeur Hahn espère que Niels Bohr ne s'est pas abaissé à participer à un projet aussi monstrueux.

En découvrant les enregistrements, le docteur Goudsmit entend seulement des hommes méprisables tentant de spéculer sur leur propre nullité pour en retirer un bénéfice moral, en se payant le luxe de donner des leçons, du haut de leur impardonnable compromission, à leurs collègues qui ont eu le courage de lutter contre le nazisme. Le commandant Rittner manque s'étrangler du culot de ces Allemands qui s'offusquent de la barbarie des décisions militaires alliées. Il regrette un instant de s'être montré si bienveillant envers le professeur Hahn qu'entourent bien plus de morts qu'il ne peut le craindre.

Le docteur Korsching adresse des réflexions acerbes d'une remarquable inélégance au professeur Gerlach qui monte sangloter dans sa chambre où il oppose l'opiniâtreté de son désespoir à ceux qui tentent de le réconforter. Il ne doute pas qu'en Allemagne on le tiendra pour responsable d'une défaite qu'il n'a pas su ou pas voulu éviter et qui a plongé son pays dans le chaos. Ses compatriotes penseront qu'il mérite la mort ignominieuse qu'on réserve aux traîtres, comme il en est lui-même manifestement convaincu.

Dès qu'il reposera un pied sur le sol allemand, quelqu'un le tuera.

Ils seront tous tués, c'est certain.

Il continue à verser des larmes dont le professeur Hahn ne comprend pas le sens. Il lui demande :

"Est-ce que vous êtes bouleversé parce que nous n'avons pas fait la bombe à uranium ? Je remercie Dieu à genoux que nous n'ayons pas fait la bombe à uranium. Ou bien êtes-vous déprimé parce que les Américains l'ont faite avant nous ?"

Mais le professeur Gerlach ne se comprend sans doute plus lui-même. Il ne peut que s'égarer sans fin dans le dédale de ses remords contradictoires, où personne ne souhaite s'aventurer à ses côtés.

Plus tard dans la nuit, le professeur Heisenberg a la lucidité de reconnaître qu'en raison de la personnalité de Hitler, le problème moral du développement de la bombe ne pouvait se poser dans les mêmes termes pour les scientifiques allemands ou américains.

Il s'efforce de réconforter le professeur Hahn qui a tort de se sentir particulièrement coupable. Si tant est qu'il soit pertinent de parler de culpabilité, elle concerne tous ceux qui ont participé au développement de la science moderne, les vivants et les morts. Une découverte comme celle de la fission nucléaire n'est qu'accessoirement celle d'un individu. Elle n'est pas un aboutissement, elle est une étape, plus visible que d'autres, plus spectaculaire, peut-être, mais pas plus essentielle : toutes les étapes sont essentielles car toutes, elles tracent la figure d'un destin qui s'amuse à parodier le hasard.

La bombe était peut-être le destin de la physique, son avilissement, son triomphe et sa perte. Elle est aussi une énigme passionnante.

Le professeur Heisenberg s'interroge : *"Mais comment ont-ils fait ? Ce serait vraiment une honte si nous, les professeurs qui avons travaillé là-dessus, n'étions pas au moins capables de comprendre comment ils ont fait."*

Le désespoir du professeur Gerlach semble s'être apaisé. Mais sa curiosité est insatiable. Il avoue à son tour : *"J'aimerais vraiment savoir comment ils ont fait."*

Ils n'en ont encore aucune idée. Leur frustration est immense.

Après avoir encore discuté une partie de la nuit et émis toutes sortes de conjectures, ils ont regagné leurs chambres, non sans s'être assurés une dernière fois, sur les injonctions du professeur von Laue, que le professeur Hahn n'essayerait pas d'attenter à ses jours.

Ils ne dorment pas.

Jusqu'à l'aube, à intervalles réguliers, les microphones enregistrent les cris et les gémissements plaintifs des invités qui pleurent dans la nuit.

Mais il est impossible de deviner lesquels.

Surtout, il est impossible de comprendre pourquoi.

Dans l'accomplissement de sa mission, le commandant Rittner ne néglige pas l'humour. Il en goûte l'inoffensive méchanceté.

Le docteur Bagge est à bout de nerfs. La pensée de son épouse, dont il est sans nouvelles depuis qu'il l'a laissée seule à Hechingen, où les soldats français des troupes coloniales ont entrepris dès leur entrée en ville de violer systématiquement toutes les femmes, le rend fou d'inquiétude. Il s'épanche auprès du docteur Diebner. Il sait que trois Marocains sont logés chez lui. Il étouffe des sanglots. Dans son désarroi, il compare ses conditions de détention à celles des camps nazis, les jugeant même, en quelque sorte, moins justifiables à Farm Hall puisque, désormais, la guerre est finie.

"Ils ne peuvent pas nous faire la même chose maintenant."

Il menace d'entamer une grève de la faim en signe de protestation.

En marge des transcriptions de l'enregistrement, le commandant Rittner a noté entre parenthèses la remarque suivante : *"Bagge est beaucoup trop gros : un régime au pain sec et à l'eau ne lui ferait pas de mal."*

Parmi les invités, les docteurs Bagge et Diebner sont les seuls qui furent membres du parti. Ils craignent le regard des Anglais et surtout celui de leurs collègues, leur injuste ressentiment.

Ils ne sont pourtant coupables de rien.

Le docteur Bagge prétend avoir été inscrit à son insu, à la suite d'une malencontreuse initiative de sa mère. Le docteur Diebner souligne que, s'il s'est bien inscrit de son plein gré, ce fut au prix de souffrances morales déchirantes dont il aimerait à l'évidence qu'elles soient reconnues à leur juste valeur. Ses convictions politiques ont toujours été aux antipodes du nazisme et elles n'ont d'ailleurs joué aucun rôle dans un choix auquel il s'est seulement résolu pour en retirer les bénéfices professionnels qui, en cas de victoire de l'Allemagne, auraient été réservés aux membres du parti, si bien que personne ne peut raisonnablement lui en tenir rigueur. Il ne doute pas une seconde que ce soit là une justification honorable qui suffit à l'absoudre entièrement.

Il soupire : *"J'ai aidé tellement de monde !"*

Tous, sans exception, font des tentatives constantes pour se dédouaner de leurs responsabilités.

Ils ne savaient rien de l'ampleur du massacre et, s'ils l'ont vaguement soupçonnée, ils ont tous fait des efforts périlleux pour s'y opposer.

Tous, ils ont essayé de secourir des collègues en danger, même si ce fut souvent en vain. Ils en dressent la liste, la soumettent aux autres invités qui les écoutent avec un scepticisme courtois.

Le professeur Heisenberg n'est ainsi pas parvenu à sauver du peloton d'exécution Jean Cavaillès dont l'amour des mathématiques était si peu incompatible avec son engagement politique que, pour lui, la même nécessité irrésistible et contraignante régissait les inférences démonstratives et les actes de résistance.

Peut-être le commandant Rittner ne peut-il éviter la fatigue et l'écœurement d'avoir à subir chaque jour le récit de leur héroïsme dérisoire au point que la tâche d'y démêler le vrai du faux lui devient profondément indifférente.

Au mois de septembre, il est remplacé par le capitaine Brodie qui rédige et signe tous les rapports.

"Je ne comprends pas."

Après avoir aimablement fourni l'éclaircissement souhaité, le professeur Heisenberg reprend le cours de la petite conférence qu'il donne, à l'intention des invités, au sujet de la bombe à uranium, huit jours après qu'elle a rasé Hiroshima. Voici ce qu'il faut probablement penser de son fonctionnement : les neutrons rapides, contrairement aux neutrons thermiques, permettent à la réaction en chaîne de se propager avant que l'augmentation de la température ait eu le temps de vaporiser la charge et l'empêche d'exploser à pleine puissance ; l'emploi d'un réflecteur permet de réduire considérablement la masse critique en renvoyant vers le centre de la sphère d'uranium, où ils pourront provoquer de nouvelles fissions, les neutrons qui s'en échappent par la surface ; le délicat problème du transport peut être résolu si l'on sépare la matière fissile en deux moitiés qu'il faut précipiter l'une vers l'autre le plus vite possible, au moment du largage, afin que, réunies, elles atteignent la masse critique.

En explosant, la sphère d'uranium incandescent brillerait deux mille fois plus que le soleil. Elle rayonnerait si intensément que sa lumière inouïe prendrait peut-être chair, au moins pour un instant, et balayerait tout, comme une étrange rafale de vent. Puis, la sphère se dilaterait, elle cesserait de brûler, deviendrait vapeur et poussière. Elle s'étirerait longuement vers le ciel.

Ce serait fini.

Le monde ne serait plus le même.

Il n'est plus le même.

Peut-être le professeur Hahn ferme-t-il brièvement les yeux et sent-il à nouveau la présence des morts qui l'entourent, leur inlassable dévouement.

Le professeur von Laue dit : *"Quand j'étais enfant, je voulais faire de la physique et voir l'histoire du monde se faire. Eh bien! j'ai fait de la physique et j'ai vu l'histoire se faire. Je pourrai dire ça jusqu'à mon dernier jour."* Il s'exprime avec l'amertume caractéristique de ceux qui ont mesuré ce qu'il en coûte de voir leurs désirs exaucés.

Qu'est-ce que cela signifiera, désormais, faire de la physique?

Les invités s'imaginent que les scientifiques, dépositaires des secrets de la bombe, n'auront pas d'autre choix que d'assumer de hautes responsabilités politiques dans une nouvelle

124

république platonicienne. Ils envisagent cette perspective avec indifférence, gourmandise ou dégoût.

Dans le jardin de Farm Hall, ils règnent déjà sur tout un peuple de chimères dociles.

Le docteur von Weizsäcker préfère rêver qu'il se consacrera à la philosophie. Les autres envisagent tristement qu'on les empêche de poursuivre leurs travaux sur l'uranium. Ils sont prêts à s'y résoudre. Mais ils ont peur qu'on leur interdise peut-être à tout jamais de se mêler de physique. Ils ont surtout peur qu'on ne les laisse jamais rentrer en Allemagne où ils pourraient être tentés d'offrir leurs services aux Soviétiques à moins que ceux-ci ne les enlèvent pour s'assurer de leur précieuse collaboration.

Ils ne doutent jamais de leur propre importance.

Ils voulaient comprendre, regarder un instant par-dessus l'épaule de Dieu.

La beauté de leur projet leur semblait la plus haute qu'on pût concevoir.

Ils étaient arrivés là où le langage a ses limites, ils avaient exploré un domaine si radicalement étrange qu'on ne peut l'évoquer que par métaphores ou dans l'abstraction d'une parole mathématique qui n'est, au fond, elle aussi, qu'une métaphore.

Ils devaient sans cesse réinventer ce que signifie *"comprendre"*.

Les connaissances qu'ils vénéraient ont servi à mettre au point une arme si puissante qu'elle n'est plus une arme, mais une figure sacrée de l'apocalypse.

Ils en ont tous été les oracles et les esclaves.

À une remarque du professeur Heisenberg suggérant que le docteur Goudsmit, de la mission Alsos, pourrait leur venir en aide, le docteur Wirtz répond : *"Un homme comme Goudsmit ne veut pas vraiment nous aider ; il a perdu ses parents."* Et le docteur Harteck ajoute : *"Goudsmit ne peut bien sûr pas oublier que nous avons assassiné ses parents."*

Le docteur Harteck, dont les rapports soulignent la personnalité charmante, n'a pourtant pas assassiné les parents du docteur Goudsmit.

Plus tard, le docteur Wirtz confie encore au professeur Heisenberg : *"Nous avons fait des choses qui n'ont pas de précédent. Nous sommes allés en Pologne et, non seulement nous avons assassiné les Juifs de Pologne mais, par exemple, les SS ont débarqué dans une école de filles, ils en ont fait sortir les plus âgées et les ont abattues, simplement parce que les filles étaient lycéennes et qu'il fallait éliminer l'intelligentsia. Imaginez un peu s'ils arrivaient à Hechingen, débarquaient*

dans un lycée et abattaient toutes les filles ! Voilà ce
que nous avons fait."

Le docteur Wirtz, que les rapports décrivent
comme intelligent, égoïste et sournois, n'a pourtant pas abattu ces lycéennes.

À l'évidence, aucun des invités n'a tué personne. Sans doute n'y ont-ils même jamais
songé, si ce n'est peut-être dans ces fantasmes
obscurs que les rêves et la colère éclairent parfois d'une lueur fugitive. Ils savent cependant de
quoi il leur faut répondre ensemble. Les diffé-
rences, les aversions ou les rivalités ne peuvent
les éloigner durablement les uns des autres.
Quand ils doivent évoquer les meurtres, un
unique pronom personnel monte malgré eux à
leurs lèvres – *nous*. Ce *nous* les tient tous unis
dans son cercle d'acier. Ils n'ont tué personne,
c'est la vérité, mais ils savent que, d'une certaine
façon, chacun d'entre eux a refermé la porte de
la chambre à gaz sur les parents du docteur
Goudsmit. Chacun d'entre eux a tiré sans trembler sur une lycéenne polonaise.

Ils se rappellent peut-être les paroles des étudiants de la Rose Blanche dont ils entendent
l'écho : *"Chacun est coupable, coupable, coupable !"*

Ils disent : *"Nos lacs et nos montagnes."*

Ils disent : *"Voilà ce que nous avons fait."*

Mais cela ne signifie pas : *"Ce sont nos lacs et
nos montagnes. C'est notre crime."*

Il faut au contraire comprendre : *"Comme nous appartenons aux lacs et aux montagnes, nous appartenons aussi au crime."*

Ils parlent quand même des risques qu'ils ont courageusement pris, seuls.

Ils tentent de redevenir des individus pour briser l'envoûtement de l'énonciation collective.

Peut-être entendent-ils encore : *"La fin sera atroce."*

Leurs efforts ont quelque chose de triste et de ridicule.

Ils ont des exigences.

Ils sont persuadés que quelque chose leur est dû.

Ils supposent que les Alliés n'ont pas de mission plus urgente à remplir que celle de sillonner l'Allemagne pour distribuer leurs lettres et rapporter en Angleterre les réponses de leurs proches.

Ils s'imaginent que leurs tourments ont de l'importance.

Ils vivent dans un monde qui n'existe pas.

Quand le courrier tarde, ils deviennent nerveux, hostiles, vulnérables. Ils pleurent.

Le professeur von Laue brandit triomphalement la lettre qu'il vient de recevoir de son fils. Il veut faire partager sa joie. Ceux qui n'ont rien reçu lui lancent de mauvais sourires et des regards obliques, débordants d'une noire jalousie qui ressemble à la haine.

Le docteur Bagge finit par apprendre que sa femme n'a nullement été violée. Il est brièvement euphorique. Il s'empresse cependant de trouver un nouveau motif de morosité en se plaignant amèrement qu'elle soit contrainte de cuisiner pour les Français.

Les problèmes du docteur Diebner sont d'un autre ordre. Avec d'infinies précautions, le capitaine Brodie lui annonce qu'il a été impossible de transmettre ses lettres à son épouse, laquelle a disparu sans laisser d'adresse pour s'enfuir en compagnie d'un autre homme. Le docteur Diebner semble s'accommoder de sa nouvelle situation de cocu avec un remarquable stoïcisme. Il se dit heureux que quelqu'un veille sur sa femme. Peut-être après tout n'a-t-il pas saisi la teneur exacte de la nouvelle.

Comme le stipule le principe, dans un laps de temps très court, l'indétermination de l'énergie est telle qu'elle peut connaître des variations considérables d'intensité, au point de surgir brusquement du néant ; mais si le temps s'étire, comme à Farm Hall, sans limites assignables, elle retrouve invariablement la monotonie de son niveau fondamental, son niveau le plus bas.

Ils s'ennuient tous à mourir.

Quelque chose en eux s'épuise lentement au fil de semaines interminables.

Le professeur Heisenberg joue au piano, de mémoire, des sonates de Mozart. Plus personne ne l'écoute. Tous les jours, pendant des heures, le professeur Hahn tourne inlassablement en rond dans le jardin. Il calcule la distance parcourue. En marchant droit devant lui, il aurait traversé la mer. Il serait depuis longtemps arrivé en Allemagne.

Les invités reçoivent parfois la visite de physiciens britanniques. Patrick Blackett. Sir Charles Darwin. Sir Charles Franck. Ils discutent de problèmes théoriques avec une ardeur nouvelle, le réacteur nucléaire, l'eau lourde, la séparation des isotopes. Ils évoquent leurs rêves d'avenir, leur retour en Allemagne, les laboratoires, les universités, tout ce qu'il faudra reconstruire. Au-delà du jardin de Farm Hall, un monde plus vaste existe encore dont ils perçoivent à nouveau la présence enivrante. Le professeur Gerlach se sent d'humeur facétieuse : *"Ce que dit Sir Charles n'est pas tout à fait idiot !"* Ils éclatent tous de rire. Le souvenir du culot invraisemblable de Wolfgang Pauli les renvoie pour un instant au paradis des années vingt. Mais Sir Charles finit bien sûr par s'en aller et chaque visite agit comme un impact dont l'onde de choc, démultipliée par l'ennui, se propage encore longtemps dans le vide de Farm Hall en provoquant de brusques turbulences.

Les invités deviennent nerveux, ils débordent d'une énergie inutile qu'ils dépensent en vains conciliabules.

Ils sont subitement persuadés que l'ensemble de la communauté scientifique internationale se préoccupe de leur sort.

Ils écrivent des lettres interminables, se chamaillent.

Ils échafaudent des plans inutiles, se perdent en manigances absurdes parce qu'ils ne doutent plus que leur attitude et leurs décisions sont susceptibles de faire évoluer leur situation.

Ils s'épuisent à calculer leurs probabilités de revoir un jour leurs familles et leur pays. Leurs estimations reflètent avec une précision mathématique les incessantes fluctuations de leur humeur versatile, la confiance et l'abattement, l'euphorie et le désespoir, l'impatience, les heures immobiles qu'illumine douloureusement le souvenir flou d'une épouse aimante ou infidèle. Ils ont peur d'oublier un jour le visage de leurs enfants.

Le professeur Heisenberg a mis au point un petit numéro qu'il réitère inlassablement. Dès que les invités restent trop longtemps sans nouvelles de leurs familles ou estiment soudain qu'il leur faut des réponses immédiates à toutes les questions qu'ils se posent sur leur avenir ou la durée de leur détention, le professeur Heisenberg surgit dans le bureau du capitaine Brodie qu'il menace gravement de reprendre sa parole d'honneur et d'aller de ce pas signaler sa présence à Cambridge si leurs justes demandes ne sont pas prises en compte par les autorités. La même scène se répétant avec d'infimes variantes à des intervalles de plus en plus rapprochés, le capitaine Brodie finit par avoir bien du mal à se retenir de lui éclater de rire au nez. Mais il ne le fait jamais. Parce qu'il doit s'assurer de la coopération des invités et ne peut prendre le risque de les offenser. Parce que le professeur Heisenberg lui est extrêmement sympathique. C'est, de plus, un prisonnier idéal. Dans l'immense abattoir qu'est devenu l'Europe, il se sent encore lié par la parole donnée au point qu'elle rend parfaitement inutiles les chaînes, les grilles et les geôliers. Il accorde à cette parole une telle importance qu'il ne doute pas de l'efficacité de sa menace redoutable quoiqu'elle ne produise bien sûr jamais aucun effet.

Ils sont pourtant remarquablement intelligents.

Ils ont pénétré dans le sanctuaire du maître de Delphes.

Ils comprennent ce qui demeure pour la plupart des hommes un mystère.

Mais ils ne comprennent pas qu'ils ne sont plus maîtres de leur destin. Ils ne comprennent pas que personne ne se soucie de leurs désirs ni que leurs incessantes revendications sont inutilement exaspérantes. Ils ne comprennent pas ce qu'être vaincu signifie parce que, au fond, ils ne comprennent même pas qu'ils ont perdu la guerre.

Non, les choses les plus simples, ils ne les comprennent pas.

En novembre, le *Daily Telegraph* annonce la décision de l'Académie royale des sciences de Suède d'attribuer, pour l'année 1944, le prix Nobel de chimie au professeur Hahn, en récompense de sa découverte de la fission nucléaire. Les invités organisent un repas de fête auquel ils convient le capitaine Brodie. Ils chantent à tue-tête les paroles d'un poème sommaire et humoristique accusant plaisamment, dans un mélange improbable d'anglais et d'allemand, le professeur Hahn d'être responsable de tous les maux de la terre et ils reprennent le refrain en chœur en tapant sur la table : *"Et qui doit-on blâmer ? Otto Hahn !"*

Ils sont joyeux, insouciants et dissipés comme une bande de vieux étudiants.

Le professeur Hahn proclame que, si on lui accorde le droit de se rendre à Stockholm, il entend bien prendre, avec ses amis suédois, une cuite mémorable, à la hauteur de l'honneur qui lui est fait.

Tout est pourtant gâché par la lamentable maladresse du professeur von Laue qui ne peut s'empêcher d'associer madame Edith Hahn à l'éloge vibrant qu'il vient de prononcer à l'intention de son mari, convoquant ainsi sans le vouloir l'ombre chérie des absentes à la table du banquet où elles prennent place silencieusement, apportant avec elles leurs parfums oubliés et la douceur lointaine du foyer perdu. Le professeur Hahn passe instantanément de la joie aux larmes. Pour ne pas être en reste, le professeur von Laue éclate à son tour en sanglots. Coincé entre les deux désespérés, le capitaine Brodie s'efforce de garder une contenance pleine de dignité pour dissimuler l'épouvantable embarras dans lequel le plonge cette scène pénible. Il craint surtout que la contagion ne gagne les autres invités qui, n'entendant pas laisser passer cette occasion unique de s'apitoyer sur leur misère commune, lui infligeraient collectivement le spectacle humide et affligeant de leur chagrin.

Dans les jours qui suivent, le professeur Hahn attend en vain la confirmation officielle de son prix Nobel. Il soupçonne le capitaine Brodie de prendre un malin plaisir à le laisser dans l'expectative. Il exige qu'on le laisse écrire à Stockholm pour que l'Académie royale ne s'offense pas de son incompréhensible silence. Il est déshonoré à jamais. Il s'agite, hurle qu'il ne répond plus de rien. Il souhaite que de noires calamités s'abattent sur le Royaume-Uni. Le professeur Heisenberg ne parvient pas à le calmer.

Peu avant Noël, les invités apprennent qu'après avoir été détenus six mois, comme le permet la loi britannique, sans autres motifs que le bon plaisir de Sa Majesté, ils rentreront tous en Allemagne au début du mois de janvier 1946.

Ils oublient leur peine, leurs rancœurs, la certitude qu'ils eurent parfois d'avoir été soumis gratuitement, par pur sadisme, à d'inutiles tortures morales.

Ils parlent de leur séjour à Farm Hall comme d'une délicieuse villégiature.

Le docteur von Weizsäcker prétend avec un enthousiasme suspect qu'il y passerait volontiers six mois supplémentaires.

Ils pensent qu'il serait plus prudent pour eux de ne pas dire en Allemagne combien ils ont été bien traités.

Ils craignent qu'on les accuse de collaboration.

Mais ils veulent cependant exprimer leur gratitude. Pour Noël, ils offrent en souvenir au capitaine Brodie un album confectionné pour l'occasion. Chacun d'entre eux a rédigé sa propre notice biographique en laissant, au-dessus du texte, un espace vierge où coller sa photographie. Ils n'ont pas de photographies. Ils promettent qu'ils les fourniront plus tard. Ils n'auront pas l'occasion de le faire. Et le cadeau de Noël du capitaine Brodie rejoindra les archives des services secrets britanniques.

Sur la page de garde, au crayon, à la plume ou au fusain, quelqu'un a dessiné le cottage de Farm Hall.

Le professeur Hahn a écrit :
"Au début de 1944, mon institut de Dahlem a été entièrement détruit par les bombes. J'ai transféré mes activités à Tailfingen, dans le Wurtemberg. J'y étais enlevé par des soldats américains le 25 avril 1945."

Le docteur von Weizsäcker a écrit :
"Plus encore que la science abstraite, c'est sa signification pour l'esprit du temps et sa relation avec la philosophie et la religion qui suscitent mon intérêt."

Le professeur Heisenberg a écrit :
"Moi, Werner Carl Heisenberg, je suis né le 5 décembre 1901 à Würzburg où mon père était professeur au lycée et assistant à l'université. En 1909, mon père fut appelé à Munich ; c'est là que j'ai grandi, apprenant les langues, les mathématiques et la musique. À partir de 1920 – après une courte interruption comme combattant volontaire – j'y ai étudié la physique avec Sommerfeld. Au même moment, j'ai pris l'habitude, au sein du mouvement de jeunesse, de faire des randonnées à travers tout le pays et de pratiquer toutes sortes de sports. En 1924, je suis devenu assistant à Göttingen et j'ai inventé la mécanique quantique

pendant un séjour à Helgoland. En 1926 et 1927,
j'ai été lecteur à Copenhague, en tant qu'élève et
ami du grand physicien et philosophe Niels Bohr.
De 1927 à 1941, j'ai été professeur à l'université
de Leipzig, où j'ai enseigné la physique atomique
à de nombreux étudiants, allemands et étrangers.
En 1929, j'ai donné des cours et des conférences en
Amérique, au Japon et en Inde. J'ai une famille
depuis 1937. Pendant la guerre, en 1941, j'ai été
appelé à l'institut Kaiser Wilhelm de physique."

Et sans doute n'y a-t-il rien de plus à dire.

Le 3 janvier 1946, accompagnés du commandant Rittner et du capitaine Brodie, Ils atter-
rissent en Allemagne dans un paysage de ruines
et de gravats au milieu desquels ils devront encore vivre pendant des années et qu'ils feignent
pour l'instant de ne pas voir.

Ils courent à travers les zones d'occupation
vers Hambourg, Göttingen, Bonn, Munich,
sous les yeux des armées alliées et des espions
soviétiques.

Ils cherchent un lieu où s'installer.

Ils quémandent des autorisations qu'ils n'ob-
tiennent parfois qu'au bout d'une attente infinie.

Ils espèrent que quelque chose finira par
surgir des ruines.

En dépit de sa maladresse de Farm Hall, c'est
à Max von Laue que revient l'honneur de prononcer, devant une assemblée de physiciens en
deuil, l'éloge funèbre de Max Planck dont il
fut l'élève et qui vient, après avoir perdu tour
à tour, au cours d'une vie bien trop longue, sa

maison, sa bibliothèque, ses manuscrits et tous ses enfants, de trouver enfin un îlot de stabilité où il oubliera peut-être de demander des comptes à Dieu.

Tandis qu'à Washington, dans un geste de désespoir mélodramatique, Robert Oppenheimer tend devant lui ses longues mains pâles, paumes ouvertes et doigts tremblants, afin que le président Truman puisse constater qu'elles sont couvertes de sang, Werner Heisenberg s'envole pour Copenhague où il achèvera son apprentissage de la nécessité du silence. Car il ne parviendra pas, comme il l'espère encore, à s'expliquer avec Niels Bohr et il devra convenir que, pour la poursuite de leurs relations, il est préférable qu'ils n'évoquent plus jamais leur rencontre de 1941 ni rien qui concerne la guerre. Ils parlent donc d'autre chose. Les mésons *pi*. Les aurores boréales. L'avenir.

Ils ne peuvent cependant oublier qu'Oppenheimer, malgré son penchant regrettable pour les formules sentencieuses, a parfaitement raison : les physiciens ont connu le péché, un péché bien trop grand pour eux.

Ils ont chuté, d'un seul coup, tous ensemble.

Et Werner Heisenberg, dont la jeunesse éclatante a subitement disparu sans laisser aucune trace, pense peut-être qu'il y a bien longtemps, au sortir d'une autre guerre, en un temps de défaite et de révolutions, un vieux mathématicien et son caniche démoniaque en avaient eu le pressentiment mystérieux. Le professeur von Lindemann avait vu ce que le garçon timide qui voulait étudier les mathématiques et se tenait alors plein d'espoir devant son bureau portait déjà en lui, sans même le savoir.

Une énergie mauvaise qui rayonnait silencieusement.

Les germes du péché, sa souillure indélébile.

La promesse d'un destin parodiant le hasard dont l'accomplissement inéluctable serait tout à la fois un triomphe, une chute et une malédiction.

Le professeur von Lindemann ne pouvait qu'être saisi d'une horreur sacrée et chasser de chez lui ce garçon dans lequel Werner Heisenberg ne se reconnaît peut-être pas mais qui suscite cependant en lui la nostalgie irrésistible, non de la jeunesse, mais de l'innocence perdue.

temps

Du sultanat d'Oman aux rives du golfe dont les Perses et les Arabes se disputent encore l'honneur d'être les héros éponymes, à travers les sables qui furent la demeure séculaire de Bédouins pour lesquels nulle beauté, si ce n'est celle de Dieu, ne surpassait la beauté de la poésie, il reste sans doute encore des hommes pour s'éblouir des vers incomparables qu'Al Mutanabbi composa il y a plus de mille ans :

Les chevaux, le désert et la nuit me connaissent,
Et l'arc et l'épée, le papier et la plume.

Mais plus personne ne peut en reprendre à son compte l'orgueil incommensurable. Ils sont devenus les reliques muettes d'un monde soudainement disparu, un trésor antique, étrange et vénéré, qui luit désormais d'un éclat incompréhensible dans le sanctuaire d'un temple vide. En moins de quarante ans, sur le sable du désert, au bord de la mer brûlante où plongeaient tout l'été de misérables pêcheurs de perles, le pétrole a fécondé la terre aride, il en a fait surgir des tours de verre, de marbre et d'acier qui s'élancent toujours plus haut dans les fournaises poussiéreuses du ciel. Cachés derrière les vitres teintées de leurs voitures de luxe, les enfants des Bédouins, dont de rares aventuriers britanniques admirèrent tant le dénuement hautain et qui ont aujourd'hui perdu jusqu'au souvenir de leur misère passée, parcourent nonchalamment des villes immenses où se côtoient les touristes et les hommes d'affaires, les financiers, les princes, les esclaves et les putains. L'ancien silence vibre du murmure incessant des climatiseurs, il résonne jour et nuit de toutes les langues du monde. Le soir, le disque pâle du soleil descend lentement sur un horizon hérissé de grues et de panneaux publicitaires.

Les hôtels, les entreprises, les restaurants, les boutiques alignées dans les allées colossales des centres commerciaux, tout ce qui sort de terre doit recevoir un nom.

Tout doit être transfiguré par le mensonge.

Nous ne sommes pas le maître de Delphes, qui ne dit ni ne cache rien. Notre parole est seulement humaine. Elle ne peut que révéler imparfaitement le monde ou l'enfouir sous le mensonge – et elle atteint alors sa perfection. Je connais bien l'art des noms mensongers qui est celui des boutiquiers et des politiciens. Au terme d'un chemin improbable qui, je le sais, ne doit pourtant rien au hasard, j'ai finalement appris beaucoup de choses. J'ai appris à susciter cet appétit compulsif et vain qui est devenu pour nous la seule figure du désir. J'ai appris à faire briller tout ce qui est vil. De toutes les idées, j'ai appris à faire des arguments de vente. C'est seulement ainsi que les études de lettres et de philosophie justifient encore leur existence dans ce monde, en produisant des hommes comme moi qui ont enfin compris comment rendre leur *"créativité"* efficace.

Je peux tout dire.

Je peux même me permettre d'évoquer la mort.

Je la nomme *"éternité"* ou *"héritage"*. Je la nomme *"sérénité"*. Ceux qui m'écoutent n'en ont plus peur. Ils sourient en pensant au temps qui passe – la mort, le destructeur des mondes – comme on pense à un ami. Ils achètent des produits de luxe qui sont censés leur survivre et leur survivront peut-être, après tout.

Vous voyez, il n'y a décidément rien à faire : au fond, je n'ai pu que m'éloigner de vous toujours davantage comme vous n'avez cessé, il est vrai, de vous éloigner si douloureusement de vous-même. Moi, du moins, je n'ai jamais eu à répondre à une vocation de poète dans un monde où, comme les vers d'Al Mutanabbi, elle ne signifie plus rien.

Vous demandiez : *"Qu'est-ce qui est fort ?"*

Vous parliez de la rose blanche et du son mystérieux de la corde d'argent.

Vous écriviez que le scientifique doit être aussi un prêtre et qu'il est un lieu où l'on a l'assurance que l'amour de Dieu ne ment pas.

Vous en souvenez-vous au moment où vous pénétrez dans une salle immense de l'université technique de Munich, en novembre 1953, pour répondre à l'invitation de l'académie bavaroise des beaux-arts? Une année plus tôt, un îlot de l'archipel d'Eniwetok s'est volatilisé dans l'explosion de la première bombe thermonucléaire américaine. Il n'en reste qu'un cratère sous-marin. Un rayonnement invisible. Et les lourds métaux inconnus que la bombe a forgés, sombrant dans les eaux du Pacifique. Vous devez regretter l'époque où l'on pouvait encore se payer le luxe de la surprise et de l'effarement. Tout cela est devenu si tristement prévisible. À la longue, les pires malédictions se font monotones.

Sur la photographie que les Anglais avaient prise dans le jardin de Farm Hall, en 1945, vous aviez déjà si terriblement vieilli qu'on pouvait croire que la guerre avait pour vous duré cent ans. Mais aujourd'hui, alors que, debout dans la salle de l'université de Munich, quelques instants avant de prononcer votre conférence sur *"L'image de la nature dans la physique contemporaine"*, vous vous penchez vers Ernst Jünger comme pour lui murmurer confidentiellement quelque chose, tandis que, assis quelques rangs devant vous, Martin Heidegger sourit d'un air satisfait, j'hésite même à vous reconnaître. Vous avez cinquante et un ans et, à côté de vous, Ernst Jünger a presque l'air d'un jeune homme. Comment est-ce possible ? Vous aviez pourtant su vous-même rester si longtemps, si obstinément jeune. Votre jeunesse a disparu et je sais qu'elle a disparu d'un seul coup. La nouvelle physique que vous avez contribué à fonder, quand vous aviez encore l'air d'un boy-scout insouciant, a fait éclater toutes les lignes continues en une série brisée d'événements discrets que séparent des gouffres obscurs. Peut-être la ligne du temps n'a-t-elle pas été épargnée. Un matin, nous croisons dans le miroir le regard stupéfait d'un inconnu. Nous laissons quelque part dans la chambre de Wilson une nouvelle goutte de condensation illuminant brièvement le brouillard. Nous traçons un simulacre de trajectoire mais nous savons bien que nous emportons avec nous les souvenirs d'un autre.

Il n'y a pas de trajectoire, rappelez-vous : c'est de vous que je l'ai appris.

Sans doute n'y a-t-il même pas de succession. Au détour d'une phrase échangée avec Ernst Jünger, un sourire incroyablement juvénile éclaire soudain votre visage creusé de ces rides profondes dont on pouvait déjà deviner l'ombre diffuse sur les photographies de votre enfance ; et il arrivait sans doute que le jeune professeur alerte de Leipzig qu'on ne pouvait distinguer de ses étudiants tressaille et se voûte inexplicablement en devinant la présence silencieuse du vieillard qu'il portait depuis toujours en lui. Vous rappelez-vous ce que croyait Einstein, quand il se laissait aller aux spéculations métaphysiques? Tout est donné une fois pour toutes, l'univers immense et chacune de nos vies, nos amours minuscules, dans le bloc compact d'une inaccessible éternité que notre esprit parcourt et déroule sous la forme successive d'un flux, comme la pointe d'un diamant suivrait les sillons d'un disque infini. S'il en est ainsi, en un sens, quelque chose demeure de votre jeunesse disparue au moment où vous quittez Ernst Jünger pour traverser la salle comble de l'université technique de Munich. J'imagine que Martin Heidegger, qui prononcera le lendemain, dans une cohue encore plus indescriptible, sa conférence sur *"la question de la technique"*, vous regarde vous frayer un chemin vers la chaire avec une subtile condescendance. Le public a envahi les travées. Les étudiants munichois refusent de céder courtoisement la place aux visiteurs venus de toute l'Allemagne fédérale. Personne ne respecte les consignes de sécurité. Vous avancez péniblement dans une telle atmosphère de ferveur intellectuelle que vous pourriez presque vous croire de retour dans une Athènes ressuscitée mais vous savez qu'il n'en est rien.

Jadis, vous demandiez : *"Qu'est-ce qui est fort?"*

Vous répondiez que c'était le son presque inaudible d'une corde d'argent.

Aujourd'hui, vous dites :

"La technique n'apparaît presque plus comme le produit d'efforts conscients humains en vue d'augmenter le pouvoir matériel ; elle apparaît plutôt comme un événement biologique à grande échelle au cours duquel les structures internes de l'organisme humain sont transportées de plus en plus dans le monde environnant l'homme ; c'est donc un processus biologique qui par sa nature même se trouve soustrait au contrôle de l'homme ; car « même si l'homme peut faire ce qu'il veut, il ne peut pas vouloir ce qu'il veut »."

Je ne vous abandonne pas, vous voyez : vos paroles me parviennent encore alors que je suis assis, pour la dernière fois, dans un taxi roulant vers l'aéroport, sur la *Sheikh Zayed Road,* un soir de septembre 2009. Sous les lampadaires orangés d'un parking, des Indiens vêtus d'affreuses chemises à carreaux trempées de sueur se disputent en jouant au cricket. La plus haute tour du monde se dresse dans la nuit comme la flèche d'une cathédrale énorme – non, vous avez raison, elle se dresse plutôt comme une monstrueuse plante carnivore, enfonçant profondément ses racines dans le sable du désert, et c'est la ville entière qui est un organisme gigantesque, traversée par la force d'une vie nouvelle, impitoyable, primitive, qui ressemble en tout point à la vie qui nous traverse aussi, avec ses brusques poussées de croissance, son avidité erratique, sa prodigalité insensée, ses infections, ses cancers et sa pourriture. Il ne lui manque rien, pas même le sang, car toute la ville est cimentée par le sang dont elle s'est nourrie et se nourrit encore. Le sang indien, le sang pakistanais, le sang du Bangladesh, du Népal et du Sri Lanka, tout ce sang anonyme qui court inlassablement dans ses veines d'acier et la fait proliférer, indifférente à l'assentiment ou à la révolte des hommes qu'elle renvoie à leur solitude impuissante. Ils l'ont bâtie mais elle ne leur doit rien. Et la mort qui la menace aujourd'hui ne lui viendra pas d'eux.

Les tours de la Marina en construction offrent leurs entrailles dénudées à la brûlure du soleil. Les grues sont immobiles depuis des semaines. Les ouvriers accroupis attendent en silence des salaires misérables qui ne viendront pas et, par-delà les rives du Golfe, des mères qui ont oublié leurs visages les accablent de malédictions. Le mal s'est propagé, d'une place financière à l'autre, à travers des réseaux impalpables, dans le grand corps du monde et il est arrivé jusqu'ici. Une lente paralysie gagne tous les organes vitaux de la ville qui halète comme une bête à l'agonie. À peine née, elle va déjà mourir. Nulle part ailleurs, jamais, le processus aveugle de la vie et de la mort n'avait manifesté son incontrôlable puissance avec une telle pureté, jamais il ne s'était déroulé à une rapidité si effroyable. Vous n'en seriez sans doute pas étonné. Vous savez qu'en un temps très court, une énergie presque infinie peut jaillir du néant avant d'y retourner.

Vous écriviez qu'il existe un lieu où l'amour de Dieu ne ment pas.

Mais vous dites aujourd'hui à la foule silencieuse qui vous écoute à Munich qu'à la place de cet amour, l'homme ne rencontre plus que lui-même. D'étranges excroissances de nos organes ont inexorablement envahi le monde. Elles l'ont transformé. La chair s'est faite verre et métal. De longs nerfs de cuivre serpentent dans l'obscurité des gaines percées dans le béton. Les incinérateurs digèrent les tonnes de déchets que viennent déverser jour et nuit des files interminables de camions traversant le désert. Les travailleurs épuisés par la déshydratation sont éliminés comme des toxines. L'œil sec des caméras de surveillance ne se ferme pas. Le sang demeure le sang.

Sur la route de l'aéroport, le chauffeur de taxi, un tout jeune homme, se tourne soudain vers moi pour me confier d'une voix suppliante qu'il a constamment peur dans cette ville si grande.

Il vient d'arriver du Népal.

Sa famille lui manque.

Il ne savait pas qu'on pouvait se sentir aussi seul.

Je mets mon casque sur mes oreilles et j'écoute Depeche Mode, à fond, comme si j'avais vingt ans, en regardant défiler les gratte-ciel. Le chauffeur arrête de parler. Rien ne peut sauver de la solitude l'homme qui ne rencontre plus que lui-même. C'est ainsi. Ce monde qui nous prolonge et nous reflète est plus terrifiant, plus étranger, plus hostile que ne le fut jamais la nature sauvage et moi, je n'y peux rien.

Vous écriviez que le scientifique doit aussi devenir un prêtre.

Mais vous savez depuis longtemps que son péché le lui interdit. Il ne lui appartient pas de choisir ce qu'il doit devenir – un ingénieur, un technicien, un domestique qui répond servile-ment aux injonctions souveraines d'une voix inhumaine, comme nous y répondons tous avec empressement, en dissimulant notre fai-blesse sous le masque vulgaire de l'arrogance. Notre créativité, nos rébellions, nos bruyantes irrévérences ne sont plus que les symptômes pi-toyables d'une soumission sans précédents. L'île d'Helgoland est loin, la beauté éblouissante. Le château du prince de Danemark. Le printemps fleuri de Göttingen. La jeunesse et la foi. Vous avez perdu tant de choses. Vous confierez à Eli-sabeth que vous êtes heureux d'avoir pu jeter parfois un œil par-dessus l'épaule de Dieu. Vous vous tiendrez encore assis aux côtés de Niels Bohr, au pied de l'Acropole. Vous échangerez des lettres avec Wolfgang Pauli. Mais ce que la guerre a brisé ne sera pas réparé. Et vos controverses avec Einstein n'intéressent plus personne. Elles n'ont jamais eu la moindre implication pratique, ce qui signifie aujourd'hui qu'elles ne valent tout simplement rien. Vous ne pouvez y repenser qu'avec mélancolie tandis que vous évoquez devant vos auditeurs de Munich la possibilité d'échapper au danger du processus biologique que vous venez de décrire, un danger d'autant plus grand qu'il prend l'apparence enthousiasmante du progrès et dont je sais, moi, du haut de la supériorité que me confère ma date de naissance, que nous n'y échapperons pas, Heidegger aura beau citer Hölderlin avec une emphase mystérieuse, sous les applaudissements d'étudiants transportés, nous n'y échapperons pas. Ce processus ira jusqu'à son terme inconcevable, il soumettra tout à la tyrannie de sa croissance avec une intransigeance si radicale que rien ne sera épargné, pas même le sanctuaire dont le roquet bondissant du professeur von Lindemann vous interdit l'accès avec tant de véhémence un jour de 1920, parce que vous en menaciez la pureté et, s'il avait pu en être témoin, le vieux von Lindemann lui-même aurait dû admettre, à son grand désespoir, que les mathématiciens avaient eux aussi connu

155

le péché quand il les aurait vus élaborer, dans leurs bureaux de la City, les algorithmes infaillibles qui décident, avec une rapidité que l'esprit humain ne peut même pas se représenter, des ordres d'achat et de vente sur tous les marchés du monde.

Mais les marchés se sont écroulés, d'une place financière à l'autre, jusqu'aux rives du Golfe. Les concepteurs des algorithmes tremblent d'impuissance et d'effroi. Bientôt peut-être, les gratte-ciel qui défilent sur la *Sheikh Zayed Road,* et la plus haute tour du monde elle-même, seront livrés aux sables du désert et le vent portera jusqu'en Iran l'odeur âcre de leur pourriture métallique. Leur décomposition sera bien plus lente que ne le fut leur naissance. Ils dresseront longtemps face à la mer leurs ossements de momies rongées par le sel. Ils seront peut-être un objet de fascination craintive pour des hommes qui ne pourront deviner le secret de leur existence éphémère. Plus rien ne surgira de terre dans l'attente d'être nommé.

En quelques mois, mon activité a été réduite à presque rien. Le téléphone ne sonne plus. Je consulte mes mails par habitude. Je ne pourrai bientôt plus payer mes employés ni rembourser mes crédits. Bientôt, l'art du mensonge sera devenu inutile. Ici, on ne connaît pas d'autre remède aux faillites que la prison. Les riches fuient d'abord, comme je fuis moi-même. Puis ce seront les bonnes à tout faire philippines, les putains russes et nigérianes. Les ouvriers iront mourir ailleurs, de faim, de soif, de désespoir, de tout ce qui fait mourir les pauvres. Je regretterai peut-être les baies vitrées de mon salon plongeant sur *Jumeirah Beach*, les silhouettes des longues jeunes femmes en *abbaya* auxquelles je n'ai jamais pu adresser la parole, les fauteuils en cuir rouge de ma berline, les merveilleux reflets perlés de sa carrosserie que caressaient toutes les semaines, avec une délicatesse infinie, les peaux de chamois des laveurs de voiture pakistanais ruisselant de sueur dans les parkings souterrains des centres commerciaux. À l'aéroport, je donne au chauffeur de taxi tout l'argent liquide qu'il me reste et dont je n'aurai plus l'usage.

Il prend ma main avec effusion.

Il est au bord des larmes.

Il est si jeune, peut-être dix-neuf ans.

Il murmure dans sa langue des paroles d'insulte ou de bénédiction.

Sa gratitude m'est plus insupportable que sa haine.

Finalement, il est probable que je ne regretterai rien. Je n'emporte avec moi qu'un bagage cabine. Je suis censé faire un court voyage d'affaires en Europe. Mais ce n'est pas seulement une question de prudence. À quoi bon s'encombrer de vestiges inutiles? On ne peut pas changer de vie à moitié. Dans mon appartement, les placards sont pleins de vêtements que j'ai abandonnés sans remords à la moisissure parce qu'ils ne sont déjà plus les miens. Au salon des premières classes, l'hôtesse d'accueil me sourit. J'y vois un hommage délicat à la fin de cette vie, l'éclat d'un scintillement solitaire dans la chambre à brouillard. Cette vie elle aussi deviendra floue, elle rejoindra les fantômes d'autres vies, perdues dans les limbes, entre le possible et le réel, auxquelles rien ne la relie. J'ai peut-être été un étudiant puéril et prétentieux, un jeune homme perdu dans les méandres d'une guerre dérisoire qu'il ne comprenait pas, mais ils ne me sont rien, je ne me sens pas plus proche d'eux que du capitaine anglais qui vous recevait patiemment dans son bureau de Farm Hall en se moquant de votre naïveté ; et très bientôt, c'est certain, je songerai à cet étranger qui boit une coupe de champagne en souriant dans le salon des premières classes comme on songe à un rêve.

Vous demandiez : *"Qu'est-ce qui est fort ?"*

Vous répondiez que c'était la rose blanche, le son presque inaudible de la corde argentée et moi, je m'en souviens, je comprenais alors ce que vous vouliez dire. Je pensais que vous aviez raison et, en un sens, vous savez, je le pense encore. Parce que j'ai été, comme vous-même, peut-être, tant de choses que je ne reconnais pas et auxquelles je ne dois rien, je suis enfin libre de vous rejoindre, à travers les lignes brisées du temps, comme je l'ai tant désiré. Je ne veux pas troubler votre bonheur, face à la mer du Nord, sur l'île d'Helgoland, je ne veux pas m'immiscer dans vos discussions épuisantes avec Niels Bohr, je ne veux pas non plus qu'à cause de moi, vos yeux d'orphelin se détournent de la chambre à brouillard où vous attend le principe, non, je préfère me tenir près de vous, à Urfeld, en mai 1945, devant le Walchensee, alors que le fracas de la guerre s'est tu et qu'il est à nouveau possible d'entendre résonner le son cristallin, presque imperceptible, de la corde d'argent.

Vous venez de traverser ce qui reste l'Allemagne en vélo pour rejoindre votre famille. Vous avez croisé des SS, des enfants, des arbres gelés et des pendus.

Je suis un soldat américain de la mission Alsos.

J'ignore mon propre nom. Je sais seulement que j'ai longtemps avancé dans l'ombre de la mort, sur un continent en ruines qui a cessé d'être le centre du monde. J'ai vu marcher des cadavres. J'ai encore dans les narines l'odeur de la pourriture, celle de la chair, celle des moteurs de chars éventrés dans des flaques visqueuses d'huile et de sang. Et je suis maintenant debout à vos côtés, face à un lac inconnu où plongent des montagnes enneigées sous le bleu du ciel qu'illumine un soleil glacé.

Vous n'êtes pour moi qu'un savant ennemi dont les travaux représentent pour nos services de renseignements un intérêt majeur que je ne comprends sans doute pas.

Vous êtes assis près de moi, souriant et fatigué.

J'ai peine à croire que vous ayez seulement quarante-trois ans.

Je ne sais pas ce qui vous a fait vieillir ainsi.

Il est probable que je m'en moque.

Vous vous tournez alors vers moi et vous me posez, avec une incroyable cordialité, une question inouïe :

Comment trouvez-vous nos lacs et nos montagnes ?

Je devrais en ressentir de la stupeur, une colère froide. Je devrais vous répondre brutalement que vous n'avez pas le droit de poser une question pareille, pas vous, pas maintenant, ou je devrais vous tourner le dos avec mépris, vous abandonner à votre inconscience. Je réprimerais peut-être un geste violent. Mais je me penche vers vous et je vois votre visage rayonner d'une confiance si désarmante que je ne peux pas me mettre en colère.

Vous me souriez d'un sourire de jeunesse éternelle.

Je regarde votre lac et vos montagnes, je vous regarde encore, j'entends peut-être un son que recouvrirent si longtemps les hurlements, les pleurs et le sifflement des bombes, un son lointain et suave, les notes d'une chaconne immortelle s'élevant d'un violon solitaire qui ne s'est jamais tu. Et je comprends que la question que vous me posez n'est ni déplacée, ni futile. Comment serais-je votre ennemi ?

Vous demandez encore avec insistance :

Regardez et dites-moi, je vous en prie : avez-vous jamais rien vu de plus beau ?

Et moi, parce que je vous ai enfin rejoint dans ce lieu où il est impossible à l'amour de Dieu de mentir, je pose une main sur votre épaule et je vous souris à mon tour avant de répondre :

Non.

Oh, non, je vous l'assure.

De ma vie, je n'ai jamais rien vu de plus beau.

Note de l'auteur

J'ai principalement tiré la matière historique de ce roman de l'autobiographie de Werner Heisenberg, *La Partie et le Tout* (Champs Flammarion n° 215), et du témoignage d'Elisabeth Heisenberg publié par Belin en 1990. J'ai également utilisé l'ouvrage extrêmement bien documenté de Thomas Powers, *Le Mystère Heisenberg* (Albin Michel, 1993).

La troisième partie, "énergie", s'appuie sur les enregistrements effectués à Farm Hall entre juillet et décembre 1945 qui ont été rendus publics en 1993 et sont parus en France chez Flammarion, en 1994, dans la traduction de Vincent Fleury.

J'ai trouvé en Allemagne des appuis précieux.

Je voudrais remercier Christian Ruzicska pour sa disponibilité de tous les instants et Martin Heisenberg, qui a accepté de me recevoir pour me parler de son père.

Ce que je dois à Cornelia Ruhe, professeure de littérature romane à l'université de Mannheim, ne saurait être mesuré. Elle a traduit pour moi, avec une inlassable générosité, la correspondance de Werner Heisenberg, encore inédite en France. Qu'elle reçoive ce roman comme un signe de gratitude et, plus encore, d'amitié que je lui adresse, ainsi qu'à Bernd, Oscar et Mathilda, depuis ce côté du Rhin.

OUVRAGE RÉALISÉ
PAR CURSIVES À PARIS
ET ACHEVÉ D'IMPRIMER
EN FÉVRIER 2015
PAR NORMANDIE ROTO IMPRESSION S.A.S.
À LONRAI
POUR LE COMPTE DES ÉDITIONS
ACTES SUD
LE MÉJAN
PLACE NINA-BERBEROVA
13200 ARLES

Dépôt légal
1re édition : mars 2015

N° impr. : 1500449

(Imprimé en France)